NUP1A-5EEADB

This is your personal code

Get free access on:

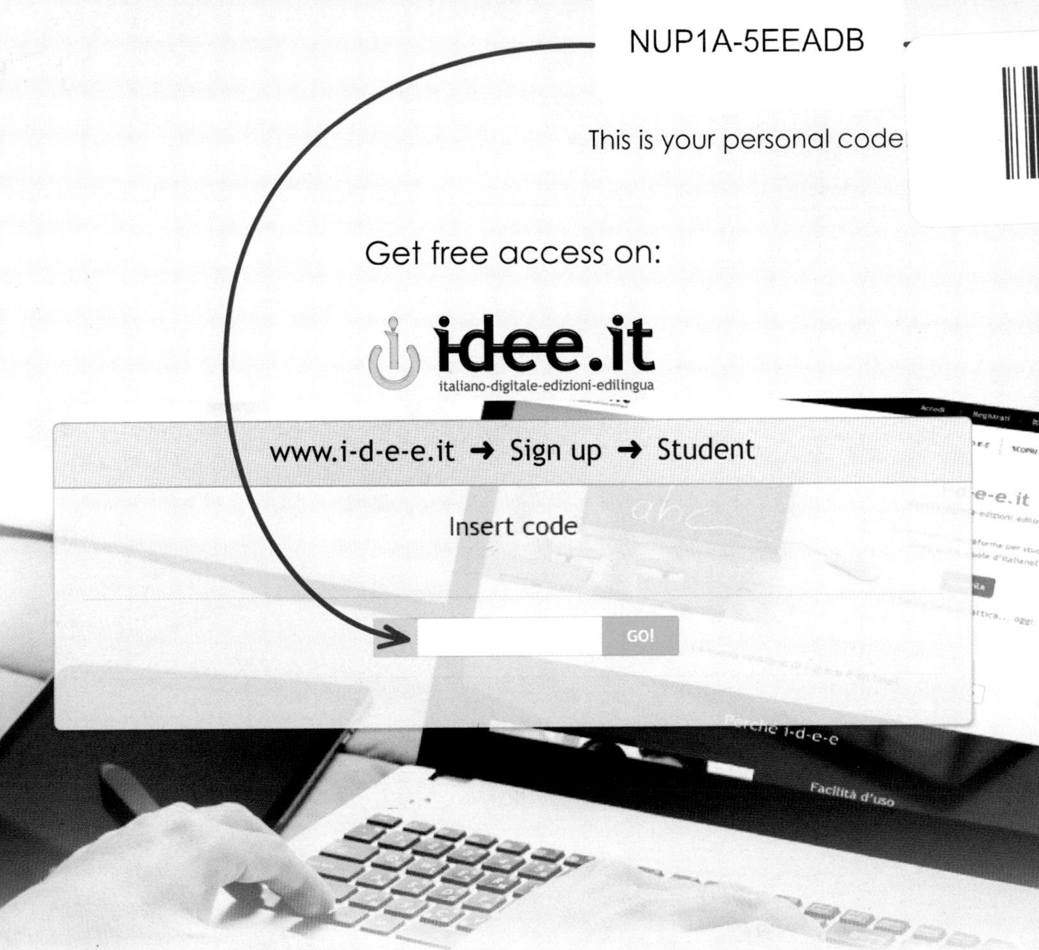

Your interactive workbook with auto correction

Engaging games for extra practice!

Videos and audios

Libri di classe

Once you create an account on the i-d-e-e platform, you will be also able to buy the ***Libro interattivo*** (the fully interactive Italian version of the Student's book with videos and audios) at an 80% discount.

Get a discount when ordering books for your level on:

**www.edilingua.it**

Also
- exam preparation
- Italian culture etc.

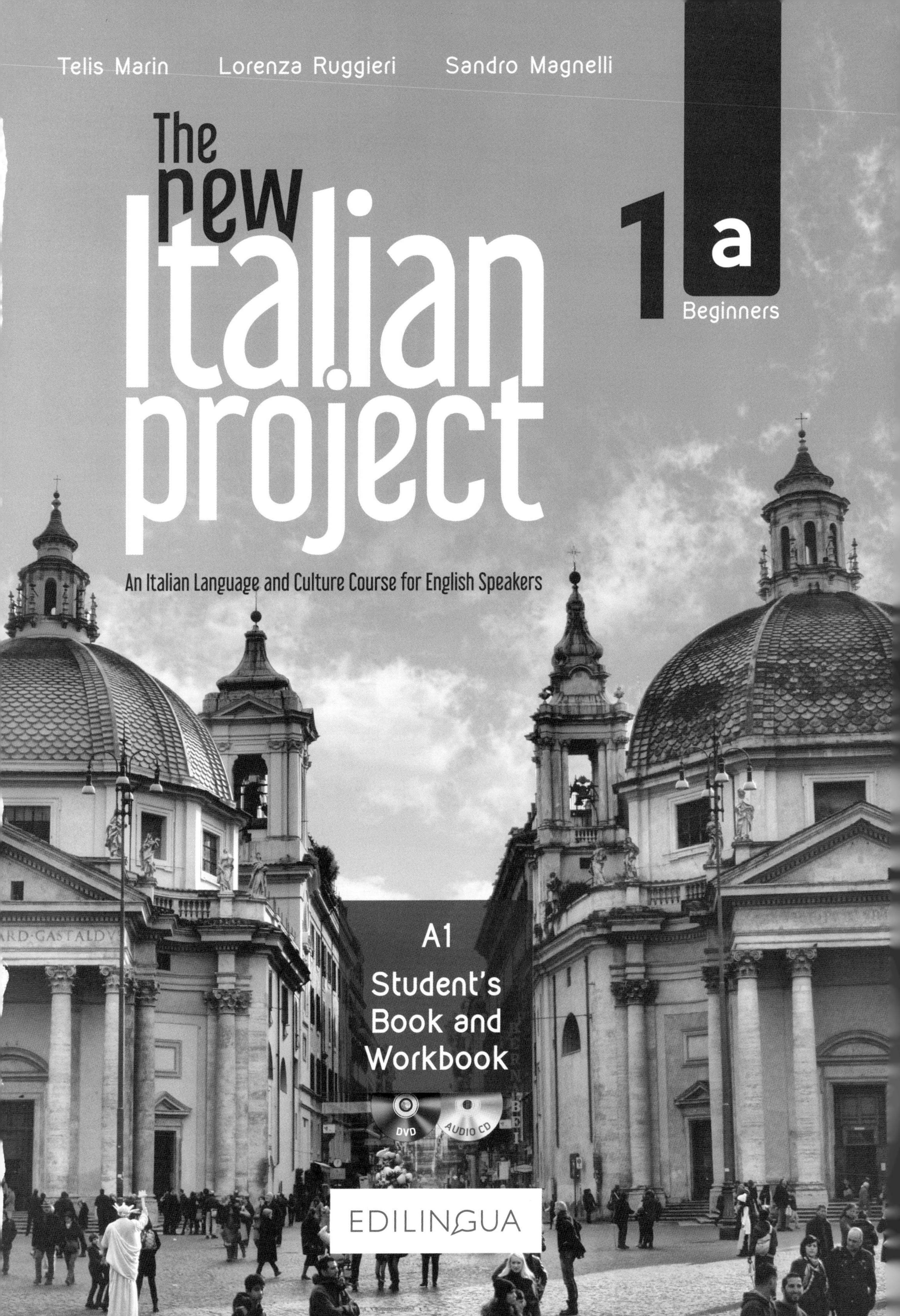

Telis Marin
Lorenza Ruggieri
Sandro Magnelli
The new Italian project
1 a
Beginners
An Italian Language and Culture Course for English Speakers
A1
Student's Book and Workbook
DVD
AUDIO CD
EDILINGUA

**1st edition:** May 2020
**ISBN: 978-88-99358-84-6**

**Contributor:**
Fulvia Oddo

**Editors:**
Antonio Bidetti, Daniele Ciolfi, Anna Gallo, Sonia Manfrecola, Laura Piccolo, Elisa Sartor, Natia Sità

**Translator:**
Aria Cabot

**Photographs:** Shutterstock, Telis Marin
**Cover photo:** Telis Marin

**Layout and graphics:**
Edilingua

**Illustrations:**
Alfredo Belli, Massimo Valenti

**Audio recordings and video production:**
Autori Multimediali, Milano

Headquarters
Via Giuseppe Lazzati, 185
00166 Rome, Italy
Phone +39 06 96727307
Fax +39 06 94443138
info@edilingua.it
www.edilingua.it

Depot and Distribution Center
Via Moroianni, 65
12133 Athens, Greece
Phone +30 210 5733900
Fax +30 2105758903

**Telis Marin** after receiving an undergraduate degree in Italian language studies, completed a Master ITALS (Italian teaching certification) at the Università Ca' Foscari in Venice and has experience teaching in various Italian language schools. He is the director of Edilingua and has authored various Italian textbooks: *Nuovo* and *Nuovissimo Progetto italiano 1, 2,* and *3* (textbook), *Via del Corso A1, A2, B1, B2* (textbook), *Progetto italiano Junior 1, 2,* and *3* (classroom manual), *La nuova Prova orale 1, Primo Ascolto, Ascolto Medio, Ascolto Avanzato, Nuovo Vocabolario Visuale, Via del Corso Video*. He co-authored *Nuovo* and *Nuovissimo Progetto italiano Video, Progetto italiano Junior Video* and *La nuova Prova orale 2*. He has held numerous teaching workshops all over the world.

**L. Ruggieri** is an instructor of Italian as a Second Language. She holds a degree in Foreign Languages and Literatures from the Università degli Studi di Milano. She completed a Ph.D. at the University of Granada, where she works as a researcher in comparative literature and linguistics with the Grupo de *investigaciones filológicas* y *de cultura hispánica*.

**S. Magnelli** teaches Italian language and literature in the Italian department of the Aristotle University of Thessaloniki. She has taught Italian as a Second Language since 1979 and has collaborated with the Italian Cultural Institute of Thessaloniki, where she taught until 1986. Since then, she has been in charge of curriculum development for linguistic institutions that offer Italian as a Second Language.

*The authors and editor would like to thank the many colleagues whose valuable feedback contributed to the improvements in the revised edition of this book.*

*Additionally, they extend their sincere gratitude to the fellow teachers who, by reviewing and testing the material in their classrooms, contributed to the final product.*

*Finally, a special thanks to the publisher's editors and graphic designers for their extreme diligence.*

***To my daughter***
Telis Marin

*The authors would appreciate any suggestions, remarks, or comments about this volume (to be sent to redazione@edilingua.it).*

Our planet needs help... your HELP!
Edilingua for the environment

All human actions have an impact on the environment. At Edilingua we are certain that the future of our planet depends on each of us. **"Our planet needs your help"** is a small but dedicated awareness campaign aimed at students: each of our books represents an invitation to reflect, save energy, and reduce carbon emissions. More information is found on our site (in "chi siamo").

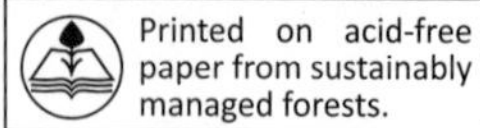
Printed on acid-free paper from sustainably managed forests.

## Preface

**The new Italian Project** is a fully updated edition of a modern Italian language course for non-native speakers. It is intended for adult and young adult learners and covers all levels of the Common European Framework of Reference (CEFR).

The fact that the previous edition of this textbook is an international best seller allowed us to collect comments from hundreds of teachers who work in diverse learning environments. Their valuable feedback and our direct experience in the classroom enabled us to evaluate and determine which changes to implement in order to update the book's content and methodology. At the same time, we have respected the philosophy of the previous edition, appreciated by the many teachers who "grew up" professionally using the book in their classrooms.

In *The new Italian Project 1a*

- all of the dialogues have been revised: they are shorter, more spontaneous, and closer to spoken Italian;
- some activities were changed to become more inductive and engaging;
- the pace remains fast;
- there is greater continuity between the chapters thanks to the presence of recurring characters in different situations, who also appear in the video episodes;
- the video episodes and the "Lo so io" quizzes have been completely redone, with new actors and locations and updated scripts;
- the video episodes are better integrated with the structure of the course, in that they complete or introduce the opening dialogue;
- all audio files have been revised and recorded by professional actors;
- the section "Per cominciare" presents a greater variety of pedagogical techniques;
- some of the grammar tables have been simplified or moved to the new *Approfondimento grammaticale* section;
- some grammatical structures are presented in a more inductive and simple manner;
- the culture sections have been updated and the texts are shorter;
- a careful review of the vocabulary was conducted following a spiral approach between the units, and between the textbook and workbook;
- in addition to the games that were already present, a short, fun activity was added to each unit;
- the board game and new digital games on the i-d-e-e platform make it more fun for students to review course material;
- the layout was updated with new photos and illustrations, and the pages are less dense;
- the Instructor's Edition (with answer keys) and Manual (also available in digital format) facilitate and diversify the instructor's role;
- in the workbook, printed entirely in color, various exercises have been diversified with matching, re-ordering, and multiple-choice options instead of open-ended questions.

As in the textbook, the audio recordings in the workbook were recorded by professional actors and are more natural and spontaneous. *The new Italian Project 1* comes with two audio CDs: one "original" version that comes with the workbook, and one "slow" version, available on Edilingua's website and the online learning platform, i-d-e-e.it. This version is intended mainly for students whose native language is distant from Italian, but also for those listening to the dialogue for the first time, in order to facilitate comprehension and lower the affective filter.

The workbook, in addition to exercises designed with various Italian language exams in mind (CELI, CILS, PLIDA), includes unit exams at the end of each chapter (to be administered after the culture sections), two summary tests (one exam for every three units), and a learning game, like the "gioco dell'oca," that covers the most important topics of all six units.

### The i-d-e-e.it platform

In the inside cover of the book, students will find an access code for the i-d-e-e.it learning platform. The code provides free access for 12 months (from the time of activation) to the following learning materials and tools:

- fully interactive versions of the workbook activities, with automatic correction and scoring. Students can complete them independently and repeat them at any time if they want additional practice;
- video and quiz episodes;
- "original" and "slow" versions of the audio files;
- new online games, exclusively for Edilingua, that provide a fun and extremely effective means of reviewing material;
- interactive grammar, tests and games prepared by the teacher, virtual classroom space, etc.

Moreover, on i-d-e-e, students can purchase various books in e-book format (the student edition of the textbook, simplified readings, the *Nuovo Vocabolario Visuale*, *I verbi italiani per tutti*, and more) and many other materials (video, audio).

On their end, instructors on i-d-e-e:

- see the results the of exercises completed by their students, and the mistakes each has made. This allows them to dedicate less class time to correcting exercises;
- find all of the videos for the course;
- can assign to their specific sections various tests and games that are already available, personalize them, or create new ones;
- find the software for the interactive whiteboard for *The new Italian Project 1* (also available offline on a DVD);
- can consult other teaching materials published by Edilingua.

This symbol, which students find in the middle and at the end of every unit of the workbook, indicates the availability of our new online games (*Cartagio, Luna Park, Il giardino di notte, Orlando,* and *Sogni d'oro*) that allow students to review the contents of the unit.

**Extra Materials**

*The new Italian Project 1a* is complemented by a series of innovative supplementary resources.

- **i-d-e-e:** an innovative platform that includes all workbook exercises in an interactive format and a series of extra resources and tools for students and teachers.
- **E-book:** a digital version of the student edition of the textbook for Android, iOS, and Windows devices (on blinklearning.com).
- **Interactive Book:** available on i-d-e-e.it, in the teacher's environment, it includes automatic correction for the Student's Book's exercises, audio tracks with transcriptions and videos. It can also be used as IWB: easy, functional, and complete. Using a projector will make your lesson more motivating and it will increase collaboration among students.
- **DVD** with video episodes of an educational sitcom and "Lo so io" quizzes, also available on i-d-e-e.it. The video episodes and corresponding activities offer a fun review of the communicative, lexical, and grammatical content of the unit.
- **Audio CD** included with the book and available on i-d-e-e.it.
- **Undici Racconti** (also available as an e-book): short, graduated readings based on situations from the textbook.
- **Online games:** different types of games to review the content from each unit, available for free on i-d-e-e.it.
- **Party Game:** includes four different types of games to review and reinforce the material while having fun.
- **Interactive glossary:** free application for Android and iOS devices to learn and solidify vocabulary in an effective, fun way.

Many other materials are available for free on Edilingua's website: the *Guida digitale*, with valuable suggestions and many materials that can photocopied; *Test di progresso*; *Glossari in varie lingue*; *Attività extra e ludiche*; collaborative and task-based *Progetti*, one for each unit; and the *Attività online*, which are signaled by the specific symbol at the end of each unit and which offer motivating activities, on secure and periodically reviewed websites, that guide the student toward the discovery of a more lively and dynamic image of Italian culture and society.

Good luck as you get started!
Telis Marin

**Legend of symbols**

Listen to Track 12 of the CD

Free speaking activity

Pair work

Communicative roleplay

Writing activity (40-50 words)

Gamified activity

Complete the video activities on page 87

Mini projects (*tasks*)

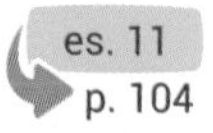

Complete Exercise 11 on page 104 of the *Workbook*

Online games on i-d-e-e.it

Go to www.edilingua.it and complete the online activities

English Glossary

Glossary p. 171

## A Parole e lettere

**1** What does Italy represent to you? Compare your answers with those of your classmates.

1

2

3

4

5

6

7

8

**2** Work in pairs. Match the numbered photos with these words.

☐ musica ☐ arte ☐ spaghetti ☐ moda ☐ espresso ☐ opera ☐ cappuccino ☐ cinema

Do you know other Italian words?

**In this unit, we will learn:**

- *to spell*
- *to introduce people and ourselves*
- *how to greet others*
- *to state one's nationality*
- *cardinal numbers (1-30)*
- *to ask for and state one's name and age*

- *the Italian alphabet*
- *pronunciation* (c, g, s, sc, gn, gl, z, double consonants)
- *nouns*
- *adjectives ending in -o/a*
- *the definite article*
- *the present indicative:* essere, avere, chiamarsi *(io, tu, lui/lei)*

3 The letters of the alphabet: listen and repeat.

**L'alfabeto italiano**

| | | | | | |
|---|---|---|---|---|---|
| **A a** | a | **H h** | acca | **Q q** | qu |
| **B b** | bi | **I i** | i | **R r** | erre |
| **C c** | ci | **L l** | elle | **S s** | esse |
| **D d** | di | **M m** | emme | **T t** | ti |
| **E e** | e | **N n** | enne | **U u** | u |
| **F f** | effe | **O o** | o | **V v** | vi (vu) |
| **G g** | gi | **P p** | pi | **Z z** | zeta |
| **J j** | i lunga | **W w** | doppia vu | **Y y** | ipsilon (i greca) |
| **K k** | cappa | **X x** | ics | *in words of foreign origin* | |

4 Write your name and read it letter by letter, as in the example.

*Mi chiamo Mario: emme-a-erre-i-o.*

5 **a** **Pronunciation (1).** Listen to and repeat the words.

**c - g**

| | |
|---|---|
| caffè | ca |
| Colosseo | co |
| cucina | cu |
| galleria | ga |
| gondola | go |
| lingua | gu |
| ciao | ci |
| limoncello | ce |
| parmigiano | gi |
| gelato | ge |
| chiave | chi |
| zucchero | che |
| ghiaccio | ghi |
| portoghese | ghe |

**b** Listen and write the words next to the correct sound, as in the example in blue.

ca *musica*
co ..............................

ga ..............................
go ..............................

ci ..............................

gi ..............................

chi ..............................

ghe ..............................

## B Italiano o italiana?

**1** Observe.

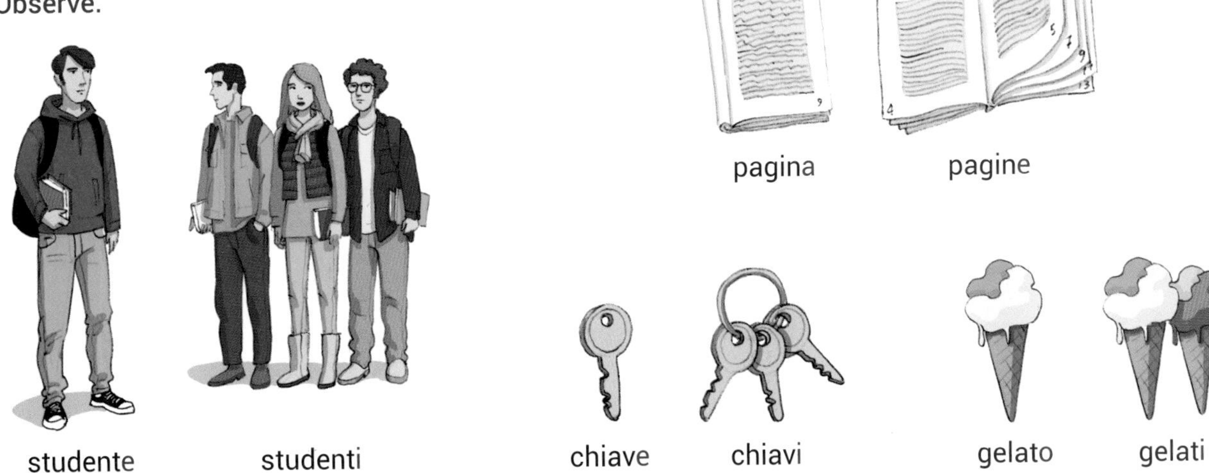


**2** Write the missing words and complete the rule.

**I sostantivi (nomi)**

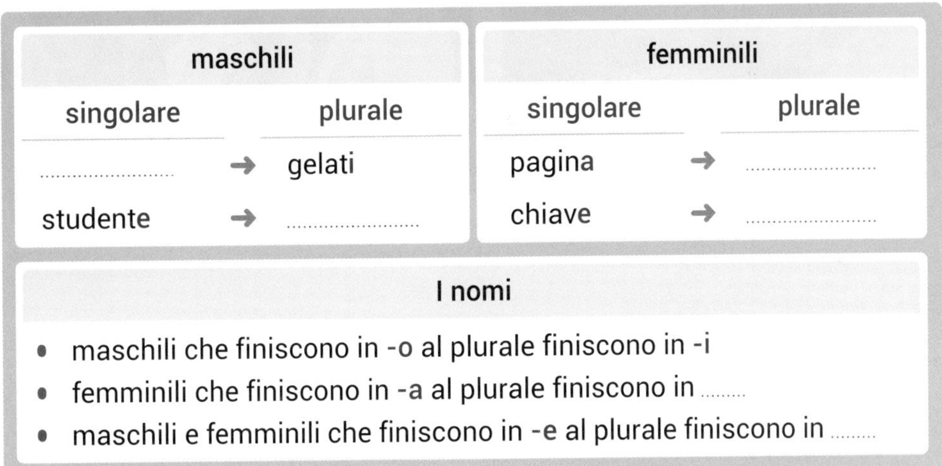

| maschili | | femminili | |
|---|---|---|---|
| singolare | plurale | singolare | plurale |
| .......... → | gelati | pagina → | .......... |
| studente → | .......... | chiave → | .......... |

**I nomi**

- maschili che finiscono in -o al plurale finiscono in -i
- femminili che finiscono in -a al plurale finiscono in ......
- maschili e femminili che finiscono in -e al plurale finiscono in ......

*Irregular or unusual nouns (like* sport*) are listed in the* Approfondimento grammaticale *on page 155.*

**3** Write the singular or plural form of the words.

1. .......... → finestre

2. pesce → ..........

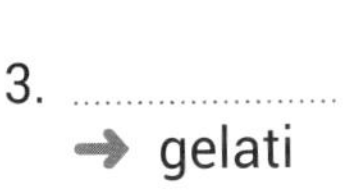

3. .......... → gelati

4. notte → ..........

5. .......... → treni

6. borsa → ..........

**4** Study the table and write the plural form of the words.

1. ragazzo alto ..............................
2. casa nuova ..............................
3. finestra aperta ..............................
4. macchina rossa ..............................

> ragazzo **italiano** → ragazzi **italiani**
> ragazza **italiana** → ragazze **italiane**
>
> Le parole evidenziate sono aggettivi: descrivono persone o cose.

es. 1-3 p. 95

## C Ciao, io sono Alice.

**1** To which photo does each dialogue correspond? Listen and mark with *a* or *b*.

**2** Work in pairs. Listen again and complete the dialogues.

**a**

*Stella:* Buongiorno, Alice. Questi sono Gary e Bob.
*Alice:* Ciao, io .............. Alice. Siete americani?
*Bob:* Io sono americano, lui è australiano!

**b**

*Giorgia:* Ciao, questa .............. Dolores.
*Matteo:* Piacere Dolores, io sono Matteo. .............. spagnola?
*Dolores:* Sì, e tu?
*Matteo:* Sono italiano.

**3** Read the dialogues and complete the table.

**Il verbo *essere***

| | | | | | | | |
|---|---|---|---|---|---|---|---|
| me | io | Sono | | noi | **siamo** | | us |
| you | tu | **sei** | italiano/a | voi | Siete | italiani/e | all of you |
| him/her | lui, lei | è | | loro | **sono** | | |

**4** Study the photos and then create sentences aloud, as in the example.

*Lui è Paolo, è italiano.*

Maria, brasiliana

Hamid, marocchino

Paolo, italiano

Diego e José, argentini

Maria e Carmen, spagnole

Susanne, tedesca

John e Larry, americani

**5** In groups of three, create a dialogue similar to those in Activity C2. Change the names and nationalities of the people.

es. 4-5 p. 96

05 **6 a Pronunciation (2).** Listen and repeat the words.

**s - sc**

| s | s | sc | sc+h |
|---|---|---|---|
| studente<br>sette<br>borsa | musica<br>svizzero | prosciutto<br>pesce | tedeschi<br>maschera |

| ss |
|---|
| espresso |

06 **b** Listen and write the word below the correct sound, as in the example in blue.

| s / ss | s | sc | sc+h |
|---|---|---|---|
| ...<br>...<br>*basso* | ... | ...<br>... | ... |

## D Il ragazzo o la ragazza?

**1** Listen to the sentences. Then, in pairs, match the images (a-h) to the sentences (1-6). Note: there are 2 extra images!

**2** Listen again and circle the article that you hear. Then, complete the table.

1. Questa è la / l' macchina di Paolo.
2. Ah, ecco i / le chiavi!
3. Gli / I studenti di italiano sono molti.
4. No, questo non è lo / il libro di Anna.
5. Il calcio è lo / il sport più bello!
6. Scusi, è questo il / l' autobus per il centro?

**L'articolo determinativo**

| maschile | | | | |
|---|---|---|---|---|
| singolare | | | plurale | |
| ............ | ragazzo | ➜ | i | ragazzi |
| l' | albero | ➜ | gli | alberi |
| ............ | studente, zio | ➜ | ............ | studenti, zii |

| femminile | | | | |
|---|---|---|---|---|
| singolare | | | plurale | |
| la | ragazza | ➜ | ............ | ragazze |
| l' | isola | ➜ | le | isole |

**3** Complete the words with the articles provided.

*gli* ⌘ *la* ⌘ *il* ⌘ *i* ⌘ *l'* ⌘ *gli* ⌘ *il* ⌘ *lo*

1. ............ stivali

2. ............ zaino

3. ............ zia

4. ............ panino

5. ............ aerei

6. ............ opera

7. ............ numeri

8. ............ museo

**4** Create sentences, as in the example:

You can follow the suggested order, or create other combinations!

macchina rossa → *La macchina è rossa.*

| casa bella | pesci piccoli | libri nuovi | ristorante italiano | vestiti moderni | zio giovane |
|---|---|---|---|---|---|

es. 6-10 p. 97

**5** Complete the table with the following numbers: *otto*, *uno*, *quattro*, *tre*, *sette*.

**I numeri da 1 a 10**

| | | | |
|---|---|---|---|
| 1 | ..................... | 6 | sei |
| 2 | due | 7 | ..................... |
| 3 | ..................... | 8 | ..................... |
| 4 | ..................... | 9 | nove |
| 5 | cinque | 10 | dieci |

**Write the sum:**
tre + cinque =
.....................

**6 a Pronunciation (3).** Listen and repeat the words. (08)

**b** Listen and write the words next to the correct sound, as in the example in blue. (09)

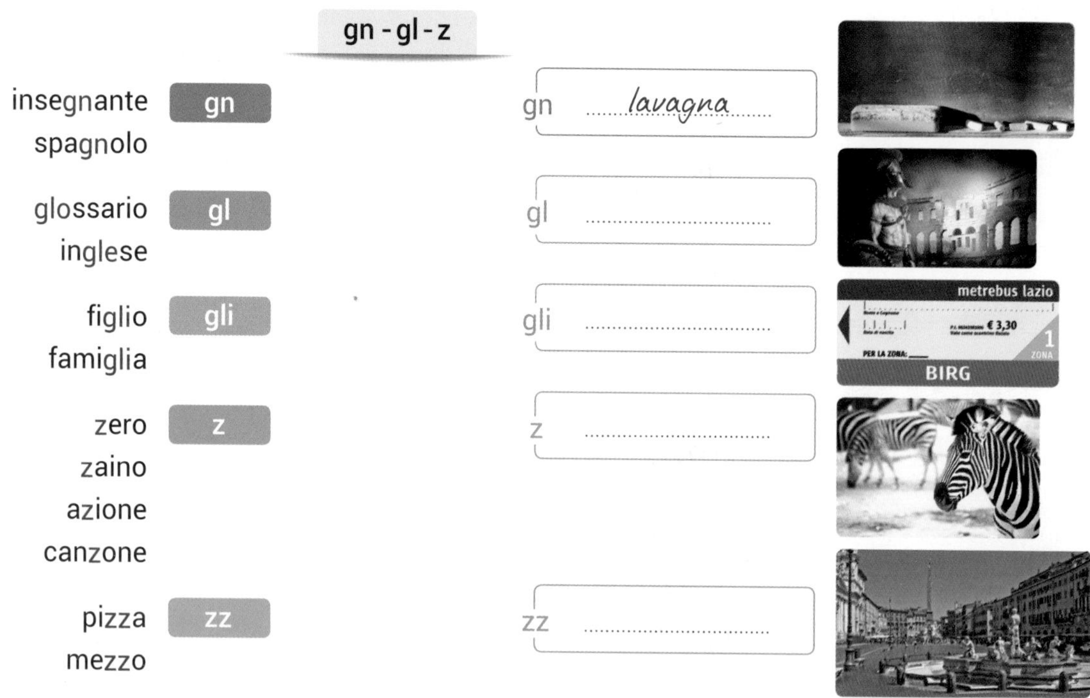


## E Chi è?

(10) **1** Listen and match the short dialogues (1-4) with the images (a-d).

(10) **2** Listen to and read the dialogues to check your answers.

1. • Tesoro, hai tu le chiavi di casa?
   • Io? No, io ho le chiavi della macchina.
   • E le chiavi di casa dove sono?

2. • Chi è questa ragazza?
   • La ragazza con la borsa? Si chiama Carla.
   • Che bella ragazza!

3. • Sai, Maria ha due fratelli: Paolo e Dino.
   • Davvero? E quanti anni hanno?
   • Paolo ha 11 anni e Dino 16.

4. • Ciao, io mi chiamo Andrea, e tu?
   • Io sono Sara.
   • Piacere!

**3** Read the dialogues again and complete the table.

**Il verbo *avere***

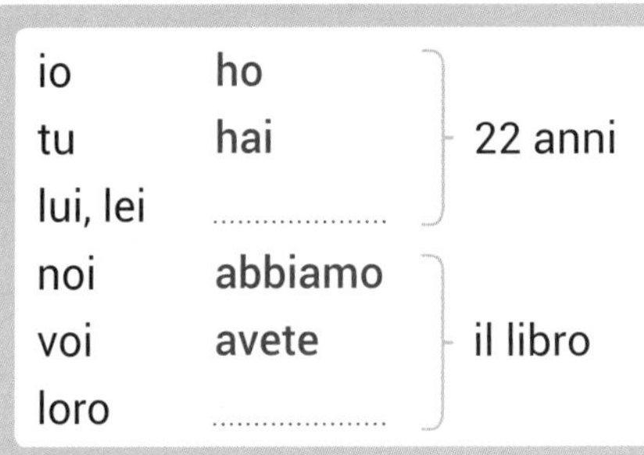

| | | |
|---|---|---|
| io | ho | 22 anni |
| tu | hai | |
| lui, lei | ........... | |
| noi | abbiamo | il libro |
| voi | avete | |
| loro | ........... | |

**Observe:**

| | | |
|---|---|---|
| io | mi chiamo | Marco |
| tu | ti chiami | Sofia |
| lui, lei | si chiama | Roberto/a |

**4** Match the responses (a-d) to the questions (1-4).

a. Sì, un fratello e una sorella.
b. 18.
c. E io sono Paola, piacere.
d. Antonio.

1. Hai fratelli?
.........

2. E tu come ti chiami?

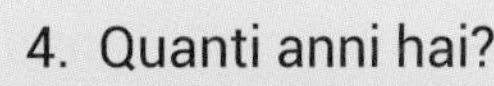

4. Quanti anni hai?

**5** Work in pairs. Complete the table with: *ventiquattro, sedici, trenta, ventisette*.

**I numeri da 11 a 30**

| | | | | | | | |
|---|---|---|---|---|---|---|---|
| 11 | undici | 16 | ........... | 21 | ventuno | 26 | ventisei |
| 12 | dodici | 17 | diciassette | 22 | ventidue | 27 | ........... |
| 13 | tredici | 18 | diciotto | 23 | ventitré | 28 | ventotto |
| 14 | quattordici | 19 | diciannove | 24 | ........... | 29 | ventinove |
| 15 | quindici | 20 | venti | 25 | venticinque | 30 | ........... |

**6** **Student *A*:** ask your partner:

- *come si chiama*
- *quanti anni ha*
- *come si scrive (lettera per lettera) il suo nome e cognome*

**Student *B*:** answer Student *A*'s questions.

At the end, Student *A* will report Student *B*'s responses to the class ("Lui/Lei si chiama..., ha...").

es. 11-14 p. 99

11 **7 a Pronunciation (4).**
Listen and repeat the words.

**doppie consonanti**

| | |
|---|---|
| piccolo<br>cappuccino | cc |
| caffè<br>difficile | ff |
| oggi<br>aggettivo | gg |
| fratello<br>sorella | ll |
| mamma<br>immagine | mm |
| nonna<br>anno | nn |
| terra<br>corretto | rr |
| otto<br>notte | tt |

12 **b** Listen and write the words next to the correct sound, as in the example in blue.

| | |
|---|---|
| cc | *doccia*<br>.................. |
| ff | .................. |
| gg | .................. |
| ll | .................. |
| mm | .................. |
| nn | .................. |
| rr | .................. |
| tt | ..................<br>.................. |

## AUTOVALUTAZIONE

### What do you remember from the unit?

**1** Match the two columns.

| | | |
|---|---|---|
| 1. Presentarsi | ☐ | a. *Quanti anni hai?* |
| 2. Dire la nazionalità | ☐ | b. *Io sono Maria, piacere!* |
| 3. Chiedere il nome | ☐ | c. *Come ti chiami?* |
| 4. Chiedere l'età | ☐ | d. *Lucy è americana.* |

**2** Choose the correct option.

1. La / Le macchina di Paolo è rossa.
2. Loro sono / è brasiliani.
3. Giulia ha / abbiamo 25 anni.
4. Il / L' gelato è buono.
5. Lei ha / è due fratelli.
6. Il / Gli zii sono giovani.

**3** Write the singular or plural form.

| | | |
|---|---|---|
| 1. la finestra aperta | ➜ | .................. |
| 2. lo sport americano | ➜ | .................. |
| 3. .................. | ➜ | le ragazze alte |
| 4. .................. | ➜ | le case nuove |
| 5. il libro italiano | ➜ | .................. |
| 6. .................. | ➜ | le borse piccole |

Check your answers on page 92. *Sei soddisfatto/a?*



Test finale

# Un nuovo inizio

Unità 1

Glossary p. 172

## Per cominciare...

**1** Study the photos: which of these situations is most important to you? Why?

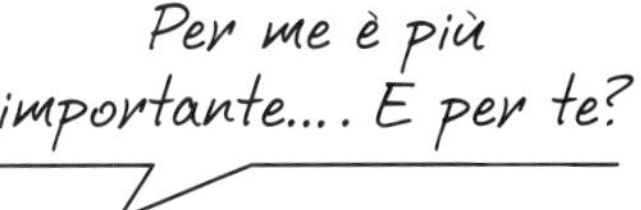
Per me è più importante.... E per te?

un nuovo lavoro

un nuovo amore

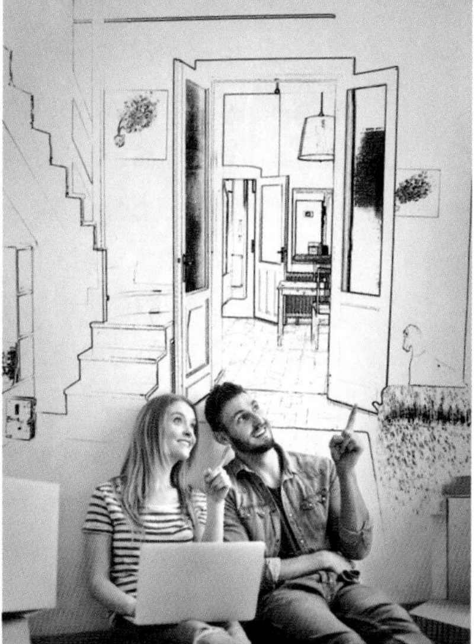

una nuova casa

un nuovo amico / una nuova amica

una nuova città

**2** Before listening to the dialogue between Gianna and Lorenzo, read the words below. Which new beginning do you think they are discussing (Activity 1)?

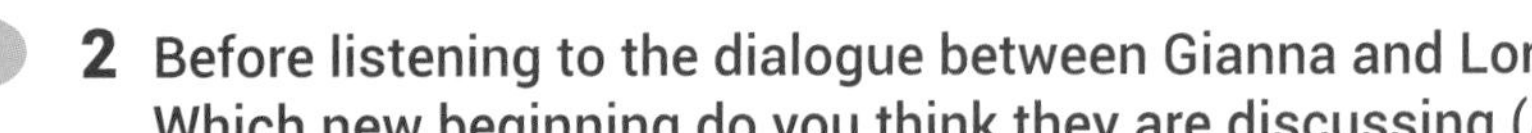

| simpatica | giornale | casa | collega |
|---|---|---|---|
| metro | centro | carina | macchina |

*Secondo me, parlano di...*

*No, secondo me... / Sì, anche per me...*

13

**3** Listen to the dialogue and check your hypotheses.

**In this unit, we will learn:**

- *to ask for and provide information*
- *to greet others and respond to greetings*
- *to use the polite form*
- *to describe people: physical appearance, personality*

- *the present indicative: regular verbs*
- *the indefinite article*
- *adjectives ending in -e*

- *Italian cities and regions*

## A Sono molto contenta.

**1** Listen again and mark the statements as true (V) or false (F).

1. Domani è il primo giorno di lavoro per Gianna.
2. Gianna è contenta del nuovo lavoro.
3. Michela è una ragazza simpatica.
4. L'ufficio apre alle 10.

**2** In pairs, read the dialogue and check your answers.

*Gianna:* Pronto?
*Lorenzo:* Ciao Gianna! Come stai?
*Gianna:* Ehi, Lorenzo! Bene, e tu?
*Lorenzo:* Tutto bene. Pronta per domani?
*Gianna:* Sì, certo. Anche se è la prima volta che lavoro in un giornale...
*Lorenzo:* Sei contenta?
*Gianna:* Sì, molto!
*Lorenzo:* Perfetto! Ah Michela, la tua collega, abita vicino a casa mia.
*Gianna:* Davvero? E com'è?
*Lorenzo:* È una ragazza simpatica e carina. Lavora lì da due anni.
*Gianna:* Ah, bene!
*Lorenzo:* Ma a che ora apre l'ufficio?
*Gianna:* Alle 9. Prendo la metro e in dieci minuti sono lì.
*Lorenzo:* Che fortuna! E a che ora finisci?
*Gianna:* Alle 6.
*Lorenzo:* Buon inizio, allora.
*Gianna:* Grazie!

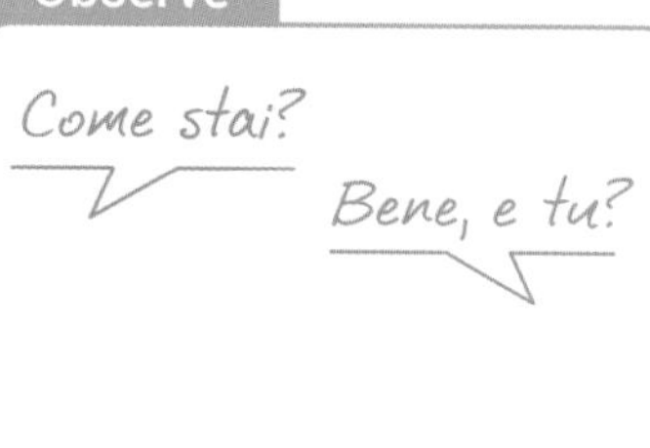

**3** Answer the questions.

1. Cosa fa Gianna per la prima volta?
2. Chi è Michela?
3. A che ora inizia a lavorare Gianna?

**4** Complete the statements using the verbs from the dialogue and write the name of the person who is speaking, as in the example in blue.

........................ lì da due anni.

[ Lorenzo ]

........................ la metro e in dieci minuti sono lì.

[ ........................ ]

È la prima volta che ........................ in un giornale.

[ ........................ ]

A che ora ........................?

[ ........................ ]

**5** Work in pairs. Write the verbs from Activity 4 in the correct place.

| | | |
|---|---|---|
| io | ........................ | ........................ |
| tu | | ........................ |
| lui/lei | ........................ | |

**6** Complete the table.

**Il presente indicativo**

| | 1ª coniugazione **-are** | 2ª coniugazione **-ere** | 3ª coniugazione **-ire** | |
|---|---|---|---|---|
| | lavorare | prendere | aprire | finire |
| io | lavoro | ...................... | apro | finisco |
| tu | lavori | prendi | apri | ...................... |
| lui/lei/Lei | ...................... | prende | ...................... | finisce |
| noi | lavoriamo | prendiamo | apriamo | finiamo |
| voi | lavorate | prendete | aprite | finite |
| loro | lavorano | prendono | aprono | finiscono |

**Note:** verbs like aprire: *dormire, offrire, partire, sentire* ecc.
verbs like finire: *capire, preferire, spedire, unire, pulire, chiarire, costruire* ecc.

**7** In pairs, answer the questions, as in the example.

Che tipo di musica ascolti? (musica italiana)

Ascolto musica italiana.

Prendete l'autobus? *(la metro)*

A che ora arrivi a casa? *(alle dieci)*

Capisci tutto quando parla l'insegnante? *(molto)*

Quando partite per Perugia? *(domani)*

PIAZZA NAVONA

Dove abitano Anna e Maria? *(a Piazza Navona)*

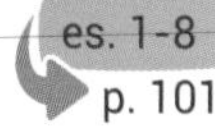
es. 1-8
p. 101

## B Una pizza con i colleghi

**1** Read Gianna and Lorenzo's messages and match the two columns below, as in the example in blue.

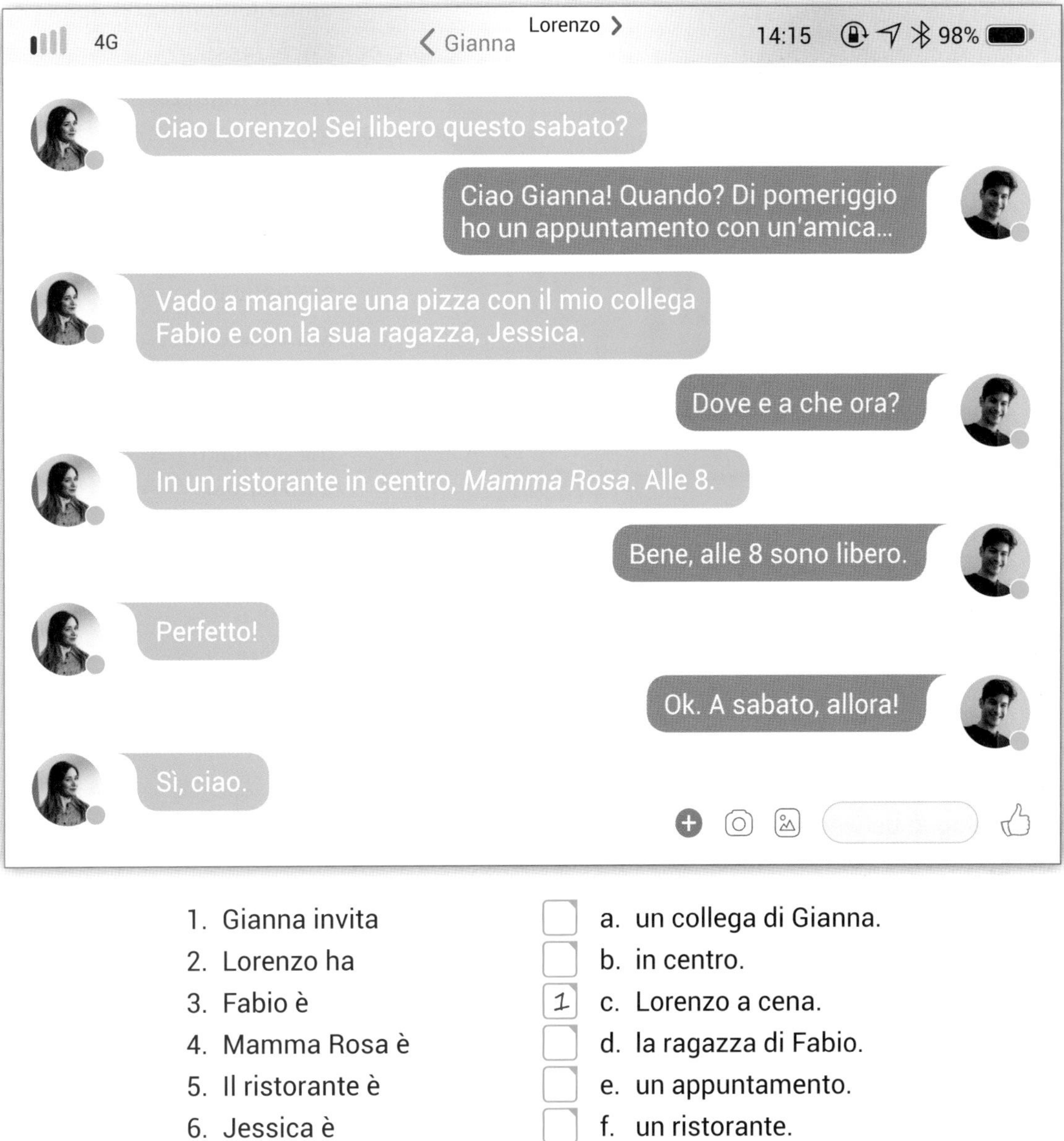


| | | |
|---|---|---|
| 1. Gianna invita | ☐ | a. un collega di Gianna. |
| 2. Lorenzo ha | ☐ | b. in centro. |
| 3. Fabio è | 1 | c. Lorenzo a cena. |
| 4. Mamma Rosa è | ☐ | d. la ragazza di Fabio. |
| 5. Il ristorante è | ☐ | e. un appuntamento. |
| 6. Jessica è | ☐ | f. un ristorante. |

**2** Complete the table with the indefinite articles found in Gianna and Lorenzo's messages.

**L'articolo indeterminativo**

| maschile | | femminile | |
|---|---|---|---|
| ........... | ristorante<br>appuntamento | ........... | pizza |
| uno | studente<br>zaino | ........... | amica |

**3** Complete the dialogue with the indefinite articles.

*amico di Fabio:* Allora, ci vediamo dopo?

*Fabio:* No, stasera ho .............. (1) appuntamento con Jessica.

*amico:* Chi è Jessica?

*Fabio:* La mia ragazza.

*amico:* Ah!

*Fabio:* Sì, .............. (2) ragazza bella e molto dolce: occhi verdi, capelli biondi, alta. E poi è anche .............. (3) persona simpatica!

*amico:* Ma Jessica è .............. (4) nome italiano?

*Fabio:* Mah... sì, però lei è americana. È qui a Milano per .............. (5) corso d'italiano.

**4** Replace the definite article, in blue, with the indefinite article.

il ragazzo alto | l'attore famoso | la domanda difficile
l'idea interessante | il corso d'italiano

es. 9-10
p. 104

**5** In the dialogue between Fabio and his friend we read about "una ragazza dolce." Study the highlighted letters in the table.

**Aggettivi in -e**

| | | | |
|---|---|---|---|
| il libro / la storia | interessante | l'uomo / l'idea | intelligente |
| i libri / le storie | interessanti | gli uomini / le idee | intelligenti |

**6** Using the nouns and adjectives provided, create sentences such as this: "I ragazzi sono intelligenti".

es. 11
p. 104

## C Di dove sei?

**1** Listen to the dialogue in which Fabio and Jessica meet for the first time and answer the questions.

1. Di dov'è Jessica?
2. Perché è in Italia?
3. Dove abita?

**2** Underline the expressions in the dialogue that both speakers use to ask for information.

*Jessica:* Scusa, per andare in centro?
*Fabio:* ...In centro? Ehm... prendi il 22 e scendi all'ultima fermata...
*Jessica:* Grazie!
*Fabio:* Prego! Sei straniera, vero? Di dove sei?
*Jessica:* Sono americana, di Chicago.
*Fabio:* Chicago... e sei qui per lavoro?
*Jessica:* No, per studiare l'italiano. Sono qui da due giorni.
*Fabio:* Allora, ben arrivata! Io mi chiamo Fabio.
*Jessica:* Io sono Jessica, piacere!
*Fabio:* Piacere! Comunque complimenti, parli già molto bene l'italiano!
*Jessica:* Grazie!
*Fabio:* Ehm... e abiti qui vicino?
*Jessica:* In via Verdi. E tu, dove abiti?
*Fabio:* Anch'io abito in via Verdi!
*Jessica:* Davvero? Ah, ecco l'autobus... A presto, allora!
*Fabio:* A presto! Ciao!

**3** Complete the short dialogues with the questions.

- ..............................................................?
- Prendi la metro e scendi alla fermata Duomo.

- ..............................................................?
- No, sono spagnola.

- ..............................................................?
- Sono di Malaga.

- ..............................................................?
- No, sono in Italia per lavoro.

- ..............................................................?
- In via delle Belle Arti.

| Chiedere informazioni | Dare informazioni |
| --- | --- |
| *Scusa, per...? / Scusa, per andare...?* | *Prendi l'autobus e...* |
| *Sei straniero, vero?* | *Sì, sono francese.* |
| *Di dove sei?* | *Sono di Parigi.* |
| *Sei qui per motivi di lavoro?* | *No, sono in Italia per studiare l'italiano.* |
| *Da quanto tempo sei qui? / Da quanto tempo studi l'italiano?* | *Sono in Italia da due anni. / Studio l'italiano da due anni.* |
| *Dove abiti?* | *Abito in via Giulio Cesare, al numero 3.* |

**4** **Student *A*:** ask your partner:

- *se è straniero*
- *di dove è*
- *da quanto tempo studia l'italiano*
- *dove abita*

**Student *B*:** study the expressions in the table above and answer Student *A*'s questions.

## D Ciao Maria!

**1** Study the people in the images below. What do you think they are saying?

**2** Listen to the short dialogues and indicate the corresponding images. Then, listen again and check your answers.

**3** Use the greetings from the table below to create short dialogues for the following situations.

**Salutare e rispondere al saluto**

| | |
|---|---|
| *Buongiorno!*<br>*Buon pomeriggio!*<br>*Buonasera!*<br>*Buonanotte!* | |
| *Ciao!*<br>*Salve!*<br>*Ci vediamo!*<br>*Arrivederci!* | (informale) |
| *ArrivederLa!* | (formale) |

1

2

3

4

5

**4** **Student *A*:** greet a friend

- *all'università la mattina*
- *quando esci dalla biblioteca alle 15*
- *al bar verso le 18*
- *quando esci dall'ufficio alle 20*
- *dopo una serata in discoteca*

**Student *B*:** respond to Student *A*'s greetings.

## E Lei, di dov'è?

**1** Read the dialogue and answer the questions.

*signore:* Scusi, sa dov'è via Alberti?
*signora:* No, non abito qui, sono straniera.
*signore:* Straniera?! Complimenti! Ha una pronuncia perfetta! E... di dov'è?
*signora:* Sono svizzera.
*signore:* Ah, ed è qui in vacanza?
*signora:* Sì, ma non è la prima volta che visito l'Italia.
*signore:* Ah, ecco perché parla così bene l'italiano. Allora... arrivederLa, signora!
*signora:* ArrivederLa!

1. Cosa chiede il signore?
2. Di dov'è la signora?
3. Perché è in Italia?

**2** Read the two dialogues and observe the differences.

a.

*Jessica:* Scusa, per andare in centro?
*Fabio:* ...In centro? Allora... prendi il 12 e scendi all'ultima fermata...
*Jessica:* Grazie!
*Fabio:* Prego! Sei straniera, vero? Di dove sei?

b.

*signore:* Scusi, sa dov'è via Alberti?
*signora:* No, non abito qui, sono straniera.
*signore:* Straniera?! Complimenti! Ha una pronuncia perfetta! E... di dov'è?

**In Italian, it is possible to *dare del tu* (as in dialogue a) or *dare del Lei* (as in dialogue b), using the third-person singular form of the verb. The latter is a form of politeness. Does your native language have a similar form?**

**3** **Student *A*:** ask someone whom you don't know well:

- *come si chiama*
- *se studia o lavora*
- *quanti anni ha*
- *se abita vicino*

You can begin with "Scusi, signore/signora ...?"

**Student *B*:** answer Student *A*'s questions. Then, ask "E Lei?" and Student *A* will respond.

es. 14
p. 106

## F Com'è?

**1** Put the dialogue in order. Then, listen and check your answers.

- [ ] Com'è Michela? Bella?
- [ ] E gli occhi come sono?
- [ ] Bruna e ha i capelli non molto lunghi.
- [ ] Ha gli occhi marroni, grandi e bellissimi!
- [ ] Sì, è alta e magra. È anche molto simpatica.
- [3] È bionda o bruna?

**2** Re-read the description of Michela and write the missing adjectives below.

**Per descrivere l'aspetto fisico**

*è / non è:*

giovane / anziano

........................ / brutto

........................ / basso

*ha i capelli:*

corti / ........................

rossi

neri

........................

castani

*ha gli occhi:*

azzurri

........................

castani (marroni)

verdi

**Per descrivere il carattere**

*è / sembra:*

............................ / antipatico

allegro / triste

scortese / gentile

**3** A famous face. Label with: *i capelli, l'occhio, il naso.*

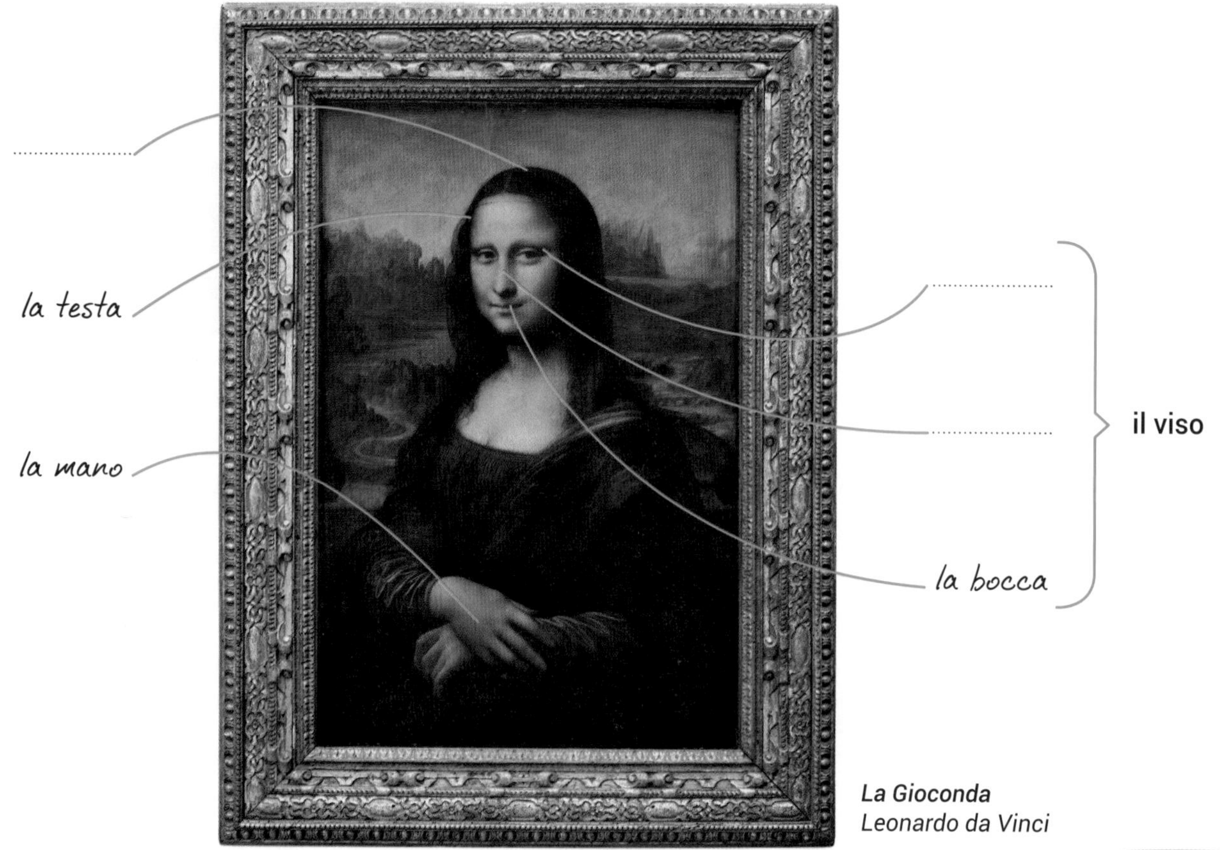


*La Gioconda*
Leonardo da Vinci

es. 15-16 p. 106

**4** On a blank sheet of paper, describe your physical appearance and personality, but don't write your name. Make a paper airplane out of your sheet (follow the instructions below) that you will all launch at the same time. Each student will unfold one airplane, read the sheet, and state the name of the person described.

1. 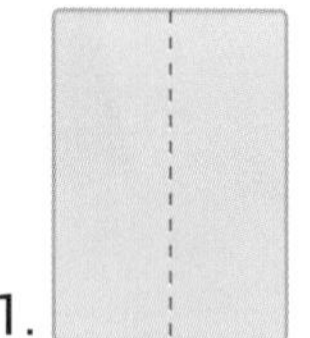
2. 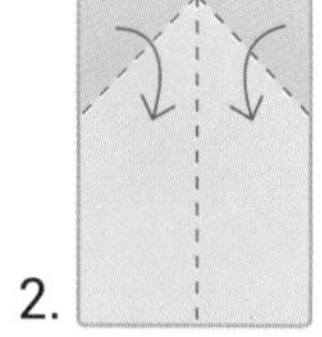
3. 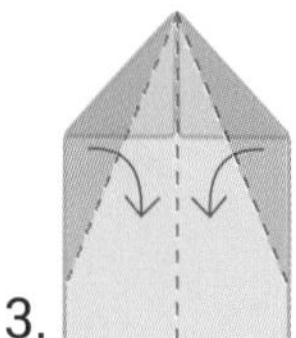
4. 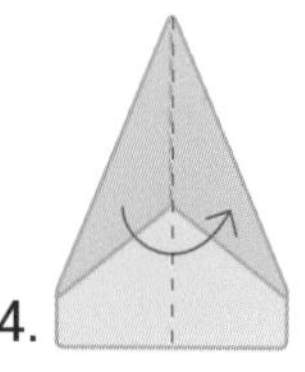
5. 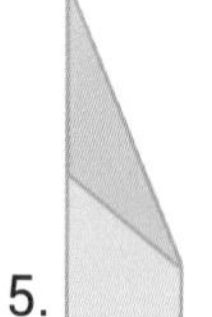
6. 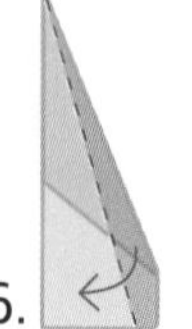
7. 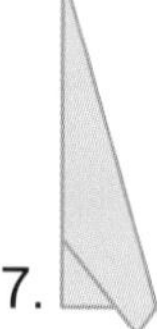

**5** Take turns describing one of your classmates without stating their name. The others must guess who it is.

*Ha i capelli lunghi, ha gli occhi neri, è simpatico.*

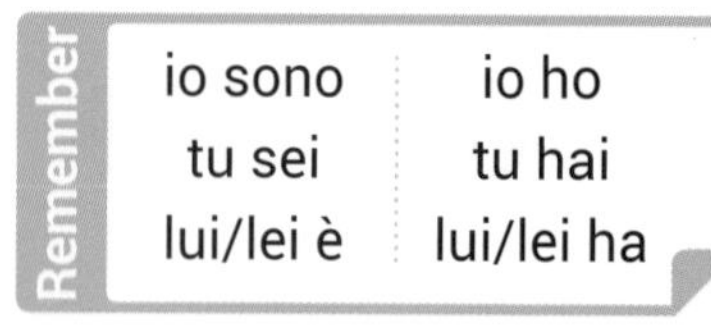

**Remember**

| | |
|---|---|
| io sono | io ho |
| tu sei | tu hai |
| lui/lei è | lui/lei ha |

30-40

**6 Scriviamo**

Describe your best friend (name, age, personality, physical appearance, how long you've been friends, ...).

p. 87

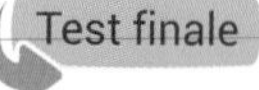
Test finale

# L'Italia: regioni e città

**Study the map.**

1. Quante regioni ha l'Italia?
2. Quali sono le città più importanti?
3. Cosa conoscete di queste città?

## AUTOVALUTAZIONE

### What do you remember from the first two units?

**1** *Sai...?* Match the two columns.

1. salutare
2. descrivere l'aspetto
3. dire l'età
4. dare informazioni
5. descrivere il carattere

☐ a. *Buonasera Stefania!*
☐ b. *Abitiamo in via Paolo Emilio, 28.*
☐ c. *È una bella ragazza.*
☐ d. *Luca è un ragazzo allegro.*
☐ e. *Paolo ha 18 anni.*

**2** Match the sentences.

1. Parli molto bene l'italiano!
2. Ciao, come stai?
3. Io mi chiamo Giorgio.
4. Scusi, di dov'è?
5. Sei qui in vacanza?

☐ a. No, per studiare l'italiano.
☐ b. Grazie!
☐ c. Sono spagnolo.
☐ d. Piacere, Stefania.
☐ e. Molto bene e tu?

**3** Complete.

1. Il contrario di *alto*: ..............................
2. Due regioni italiane: .............................. ..............................
3. La seconda persona singolare di *capire*: ..............................
4. La seconda persona plurale di *avere*: ..............................

**4** Find the six hidden words.

a r o n a s o t r i t e t r e n t a p o t t e s t a z u b i o n d o g e n m i n u t i p l i s e d i c i

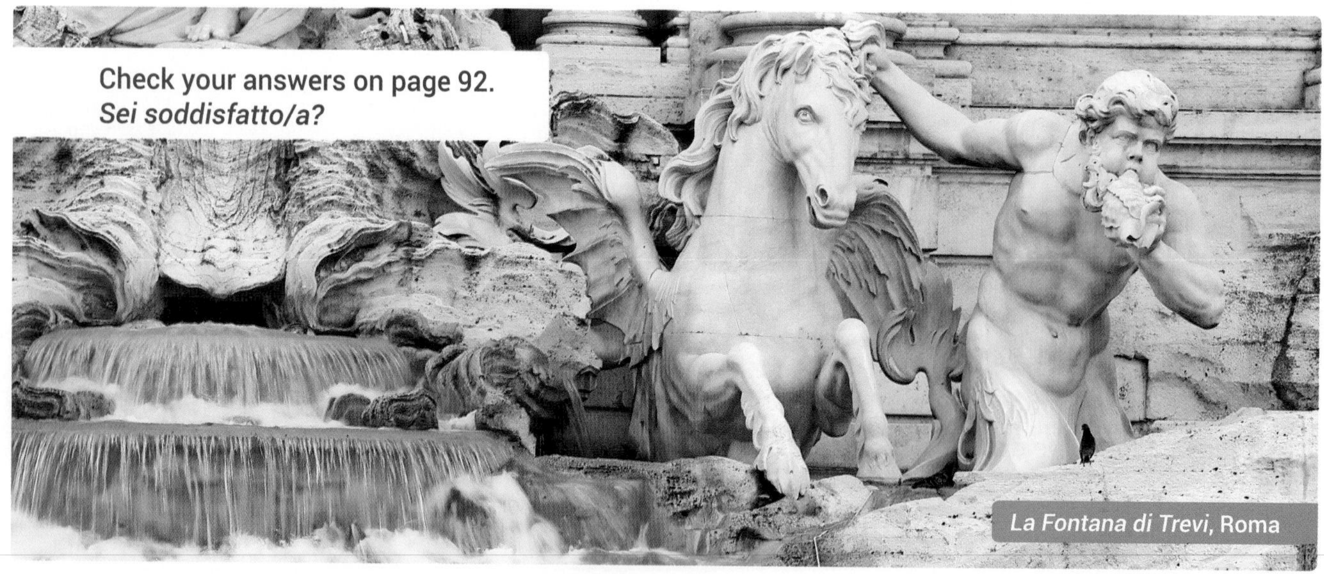

Check your answers on page 92.
*Sei soddisfatto/a?*

*La Fontana di Trevi*, Roma

# Tempo libero

## Unità 2

Glossary p. 173

### Per cominciare...

**1** Study the images and select:

- two activities you do in your free time
- one activity you find boring or not very interesting
- one activity that interests you but that you don't do

a giocare con i videogiochi

b andare in palestra

c ballare

d leggere un libro

e suonare uno strumento

f guardare la televisione

g ascoltare musica

h andare al cinema/ a teatro

**2** Go around the class and talk with several classmates, as in the example.

*Mi piace/ Non mi piace... E a te?*

*Secondo me è interessante... E per te?*

**3** Listen to the interviews of three people. Which activities do they discuss?

**In this unit, we will learn:**

- *to extend invitations, accept/decline invitations*
- *to describe apartments and homes*
- *to ask for and state one's address, today's date, the time*
- *to talk about free time*
- *cardinal numbers (30-2.000) and ordinal numbers*
- *the days of the week*

- *the present indicative: irregular verbs*
- *modal verbs* (potere, volere, dovere)
- *the prepositions* a, da, in, con *and* per

- *urban modes of transportation*
- *how Italians spend their free time*

## A Cosa fai nel tempo libero?

17 **1** Listen to the interviews again and mark the correct statements.

1. Giorgio
   - [ ] a. suona il violino
   - [ ] b. ha molti interessi
   - [ ] c. gioca con i videogiochi

2. Martina
   - [ ] a. va a teatro
   - [ ] b. ama leggere
   - [ ] c. fa sport

3. Francesca
   - [ ] a. balla il tango
   - [ ] b. va spesso al cinema
   - [ ] c. esce con gli amici

**A. Giorgio, cosa fai nel tempo libero?**

*Nel mio tempo libero faccio varie attività: suono il pianoforte, gioco a calcio, leggo e il fine settimana esco con gli amici. Andiamo al cinema o a bere qualcosa.*

**B. Martina, come passi il tempo libero?**

*Adesso che sono in pensione, ho tanto tempo libero e faccio tante cose: suono in un gruppo musicale, vado in piscina per stare in forma, ascolto musica. Spesso viene la mia migliore amica e facciamo una partita a carte.*

**C. Francesca, sappiamo che sei molto impegnata con il tuo lavoro: hai però un po' di tempo per te?**

*Come forse sai, una donna con due figli che lavora, non ha molto tempo libero. Qualche volta, però, vado a teatro e ogni venerdì sera vado a un corso di tango. Il fine settimana spesso vengono amici a casa e mangiamo una pizza insieme.*

**2** In groups, read the interviews and check your answers to Activity A1. One of you will read the part of the journalist and ask the questions. The rest will read the responses of Giorgio, Martina, and Francesca.

**3** Answer the questions.

1. Dove va Giorgio con gli amici?
2. Che sport fa Martina?
3. Quando va a teatro Francesca?

**4** Read the interviews again and find the verbs needed to complete the table.

**Presente indicativo**
**Verbi irregolari (1)**

| | andare | venire |
|---|---|---|
| io | .................... | vengo |
| tu | vai | vieni |
| lui/lei/Lei | va | .................... |
| noi | .................... | veniamo |
| voi | andate | venite |
| loro | vanno | .................... |

Galleria Vittorio Emanuele, Milano

**5** Complete with the verbs *andare* and *venire*.

1. Ma perché Tiziana e Mauro .................... in centro a quest'ora?
2. Ragazzi, stasera noi .................... a ballare, voi che fate?
3. Perché non .................... anche voi al cinema?
4. Carla, a che ora .................... a scuola la mattina?
5. Quando .................... all'aeroporto Paolo?
6. Domani .................... con te a Milano.

es. 1-3 p. 109

**6** Work in pairs: complete the table with verbs used in the interviews.

**Presente indicativo**
**Verbi irregolari (2)**

| | dare | sapere | stare |
|---|---|---|---|
| io | do | so | sto |
| tu | dai | ........................ | stai |
| lui/lei/Lei | dà | sa | sta |
| noi | diamo | sappiamo | stiamo |
| voi | date | sapete | state |
| loro | danno | sanno | stanno |

| | uscire | fare | giocare |
|---|---|---|---|
| io | ........................ | faccio | ........................ |
| tu | esci | fai | giochi |
| lui/lei/Lei | esce | fa | gioca |
| noi | usciamo | ........................ | giochiamo |
| voi | uscite | fate | giocate |
| loro | escono | fanno | giocano |

Note: *The verb* giocare *(like* pagare*) is regular but, as you can see, has a unique feature. Other irregular verbs are listed in the* Approfondimento grammaticale *on page 159.*

**7** Complete the questions.
Then, interview a classmate.

Con chi esci stasera?
(tu, uscire)
Esco con Paolo.


1. Che cosa .................... per stare in forma? (tu, *fare*)
2. Il venerdì sera i tuoi amici .................... a casa? (*stare*)
3. Dove andate tu e il tuo migliore amico quando .................... ? (*uscire*)
4. .................... spesso con i videogiochi? (tu, *giocare*)
5. .................... come si chiama l'insegnante? (tu, *sapere*)
6. Gli studenti .................... del tu o del Lei all'insegnante? (*dare*)

es. 4-6 p. 110

## B Vieni con noi?

**1** Read and listen to the short dialogues.

- Che fai domani? Andiamo al mare?
- Sì, volentieri! Con questo bel tempo non ho voglia di restare in città.

- Alessio, vieni con noi in discoteca stasera?
- Purtroppo non posso, devo studiare.
- Ma dai, oggi è venerdì!
- Beh, non è che non voglio, è che davvero non posso!

- Carla, domani pensiamo di andare a teatro. Vuoi venire?
- Certo! È da tempo che non vado a teatro!

- Senti, che ne dici di andare alla Scala stasera? Ho due biglietti!
- No, mi dispiace. Magari un'altra volta. Stefania non sta molto bene e voglio restare con lei.

**2** Re-read the dialogues and find the expressions needed to complete the table.

| Invitare qualcuno | Accettare un invito | Rifiutare un invito |
|---|---|---|
| ............ | *Sì, grazie! / D'accordo!* | ............ |
| *Vieni...?* | ............ | ............ |
| *Vuoi venire?* | ............ | *Ho già un impegno.* |
| ............ | *Perché no?* | ............ |
| *Perché non...?* | *Buona idea! / Perfetto!* | ............ |

**3** Use the expressions from Activity B2 to complete the short dialogues.

- Io e Maria pensiamo di andare al cinema. ............?
- ............. È un'ottima idea.

- ............?
- Mi dispiace, non posso.

- ............?
- Volentieri!

- Andiamo al concerto di Bocelli? Ho due biglietti.
- ............

- Che ne dici di andare a Venezia per il fine settimana?
- ............

**4** **Student *A*: look at the images and invite Student *B*...**

*a guardare la tv*

*a una mostra d'arte*

*a fare le vacanze insieme*

*a fare spese insieme*

*un fine settimana al mare*

*a mangiare la pizza*

**Student *B*: accept or decline Student *A*'s invitations.**

es. 7 p. 111

## C Scusi, posso entrare?

**1** **Study the sentences.**

Non potete
dire di
conoscere
il mondo se
non visitate
la Sicilia

Tutti vogliono
tornare
alla Natura
ma pochi
ci vogliono
andare a piedi.
(J.A. Wollensky)

CHIRURGO
GHOSTWRITER
DERMATOLOGA
SCRITTORE
PARLARE FA BENE ALL'AMORE?
TU MI AMI?
PARLIAMONE
BENTIVOGLIO
RAGONESE
CALZONE
RUBINI
DOBBIAMO PARLARE
UN FILM DI SERGIO RUBINI

**2** Complete the table with the verbs from Activity C1.

### I verbi modali

| | | |
|---|---|---|
| **potere** | Scusi, posso entrare?<br>Gianna, puoi aspettare un momento?<br>Professore, può ripetere, per favore?<br>Purtroppo non possiamo venire a Firenze con voi.<br>Ragazzi, .............................. guardare la TV fino alle 10.<br>Marta e Luca non possono uscire stasera. | **+ infinito** |
| **volere** | Sai che cosa voglio fare oggi? Una gita al mare.<br>Ma perché non vuoi mangiare con noi?<br>Ma dove vuole andare a quest'ora Paola?<br>Stasera noi non vogliamo fare tardi.<br>Volete bere un caffè con noi?<br>Secondo me, loro non .............................. venire. | **+ infinito** |
| **dovere** | Stasera devo andare a letto presto.<br>Marco, non devi mangiare tanti dolci!<br>Domani Gianfranco non deve andare in ufficio.<br>Secondo me, .............................. girare a sinistra.<br>Quando dovete partire per gli Stati Uniti?<br>I ragazzi devono sempre tornare a casa presto. | **+ infinito** |

**3 a** Complete the sentences with the correct form of the verbs in parentheses.

1. Gianna e Matteo non _ _ _ _ _ [_] _ partecipare alla gara di domani. (*potere*)
2. Sabato mattina _ _ _ _ _ [_] _ _ andare in montagna. (noi, *volere*)
3. _ _ [_] _ studiare molto per questo esame? (tu, *dovere*)

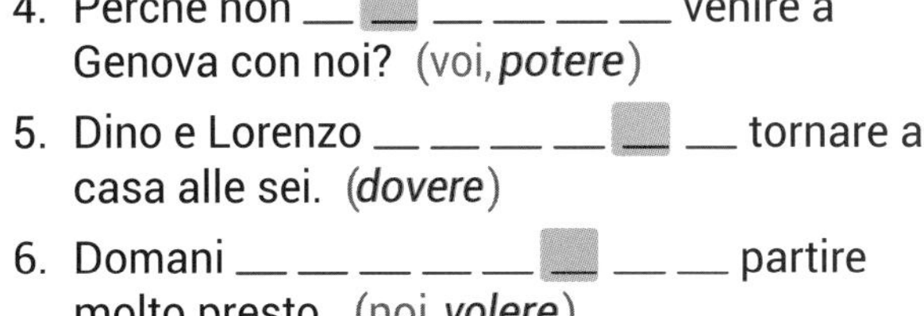

4. Perché non _ [_] _ _ _ _ venire a Genova con noi? (voi, *potere*)
5. Dino e Lorenzo _ _ _ _ [_] _ tornare a casa alle sei. (*dovere*)
6. Domani _ _ _ _ _ [_] _ _ partire molto presto. (noi, *volere*)

**b** Now, insert the letters from the yellow squares into the spaces below and discover the name of a famous Roman *piazza*.

Piazza ☐☐☐☐☐☐

es. 8-9 p. 112

## D Dove abiti?

**1** Listen twice to the phone call between Gianna and Lorenzo and answer the questions.

1. Dove abita Lorenzo?
2. Com'è il suo appartamento?
3. Com'è l'appartamento di Gianna?
4. Chi paga di più d'affitto?

stadio San Siro, Milano

**2** **Read the dialogue and check your answers.**

*Lorenzo:* Pronto, Gianna?
*Gianna:* Oh, ciao Lorenzo, come va?
*Lorenzo:* Bene. Senti, sei libera domani pomeriggio?
*Gianna:* Sì, perché?
*Lorenzo:* Vieni a vedere il mio appartamento nuovo?
*Gianna:* Sì, volentieri! Dov'è, in centro?
*Lorenzo:* No, in periferia, a San Siro, in via Gorlini 40. Puoi arrivare in metro allo stadio e prendere l'autobus, il 64.
*Gianna:* Va bene: il 64 da San Siro. E poi?
*Lorenzo:* La seconda fermata è proprio sotto casa. Io abito al primo piano.
*Gianna:* Perfetto. E com'è questo nuovo appartamento?
*Lorenzo:* Mah... non è molto moderno, però è comodo e luminoso: un soggiorno grande, camera da letto, cucina, bagno e un piccolo balcone.
*Gianna:* E quanto paghi di affitto?
*Lorenzo:* Eh... 600 euro...
*Gianna:* Beh, sei fortunato! Il mio è piccolo, al terzo piano senza ascensore e pago 500!
*Lorenzo:* Sì, ma il tuo è in centro! Allora... ci vediamo domani alle 6? Vieni con Michela?
*Gianna:* No, Michela è a Roma per lavoro, torna venerdì.

**3** **Re-read the dialogue and write the name of the rooms.**

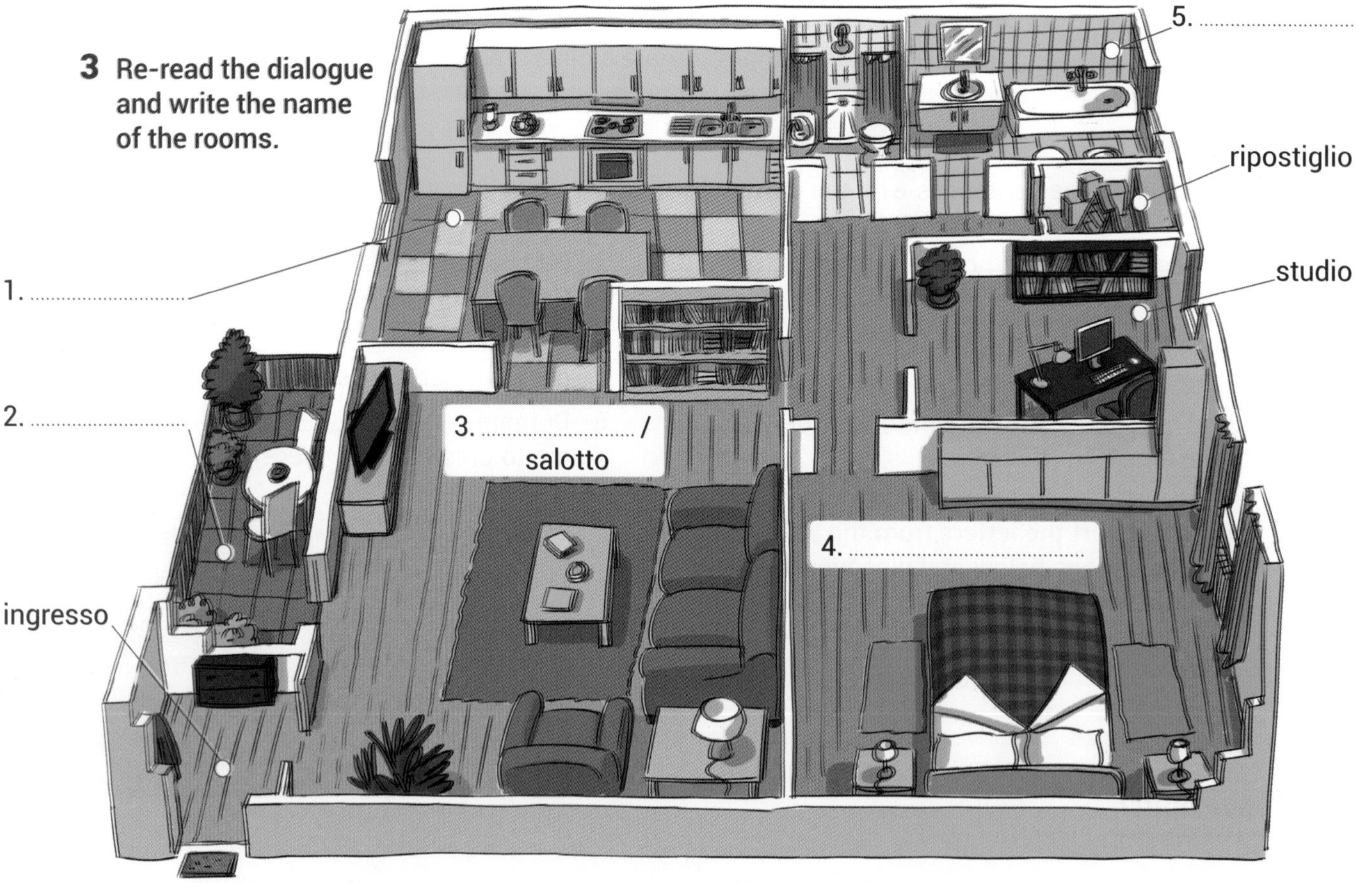

1. ..............................
2. ..............................
3. .............................. / salotto
4. ..............................
5. ..............................
ingresso
ripostiglio
studio

**4** **Describe your ideal home (or the place where you currently live): say where it is, which and how many rooms it has, on which floor it is located, if it is large or small, if it has a lot of natural light or not, if it's modern, etc.**

**5** **Complete the table with the numbers found in the dialogue in D2.**

| I numeri da 30 a 2.000 | | | | I numeri ordinali | |
|---|---|---|---|---|---|
| 30 | trenta | 300 | trecento | 1° | ........ |
| 31 | trentuno | 400 | quattrocento | 2° | secondo |
| ........ | quaranta | ........ | cinquecento | 3° | ........ |
| 50 | cinquanta | ........ | seicento | 4° | quarto |
| 60 | sessanta | 700 | settecento | 5° | quinto |
| 70 | settanta | 800 | ottocento | 6° | sesto |
| 80 | ottanta | 900 | novecento | 7° | settimo |
| 90 | novanta | 1.000 | mille | 8° | ottavo |
| 100 | cento | 1.900 | millenovecento | 9° | nono |
| 200 | duecento | 2.000 | duemila | 10° | decimo |

**Note:** starting with *11*, all ordinal numbers end in ***-esimo: undicesimo*** (*Approfondimento grammaticale*, page 161).

es. 10 p. 112

## E È in centro?

**1** **In pairs, complete the table using prepositions found in the dialogue in D2.**

**Le preposizioni**

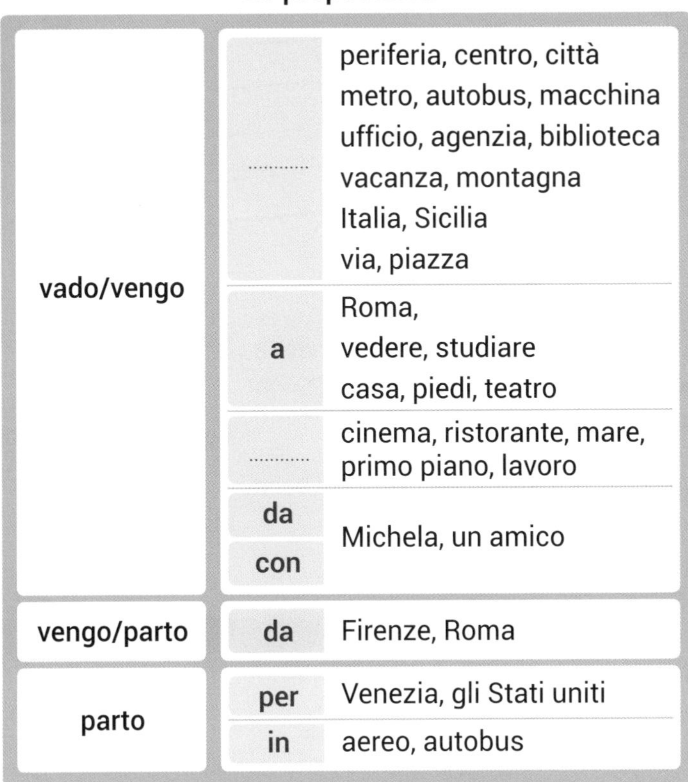

| | | |
|---|---|---|
| vado/vengo | ........ | periferia, centro, città<br>metro, autobus, macchina<br>ufficio, agenzia, biblioteca<br>vacanza, montagna<br>Italia, Sicilia<br>via, piazza |
| | a | Roma,<br>vedere, studiare<br>casa, piedi, teatro |
| | ........ | cinema, ristorante, mare, primo piano, lavoro |
| | da<br>con | Michela, un amico |
| vengo/parto | da | Firenze, Roma |
| parto | per | Venezia, gli Stati uniti |
| | in | aereo, autobus |

**2** **Respond to the questions aloud, as in the example.**

> Dove andate stasera? (cinema)
>
> Andiamo al cinema.

1. Con che cosa vai a Roma? (*aereo*)
2. Dove dovete andare domani? (*centro*)
3. Dove vanno i ragazzi a quest'ora? (*discoteca*)
4. Che fai adesso? Dove vai? (*casa*)
5. Da dove viene Lucio? (*Palermo*)
6. Dove va Franco? (*Antonio*)

es. 11-13 p. 113

## F Quando sei libera?

**Observe:**

| | |
|---|---|
| *sabato mattina* | *lunedì* = lunedì prossimo |
| *oggi pomeriggio* | *il lunedì* = ogni lunedì |
| *domani sera* | |

**1** Work in pairs. Listen to the dialogue and write Silvia's plans for the 3rd, 5th, and 6th of the month.

**2** Work in pairs. Write your plans for the week on the agenda. Then, your classmate will invite you to do something together. Respond to their invitation, as in the examples.

Che ne dici di andare a mangiare una pizza?

Volentieri, quando?

Sei libero venerdì sera?

Sì. / No...

**3** Parliamo e scriviamo

1. Hai abbastanza tempo libero o no? Perché?
2. Come passi il tuo tempo libero? Dove vai quando esci?
3. Scrivi una lettera/mail a un amico per raccontare come passi il tuo tempo libero, come nell'esempio a destra.

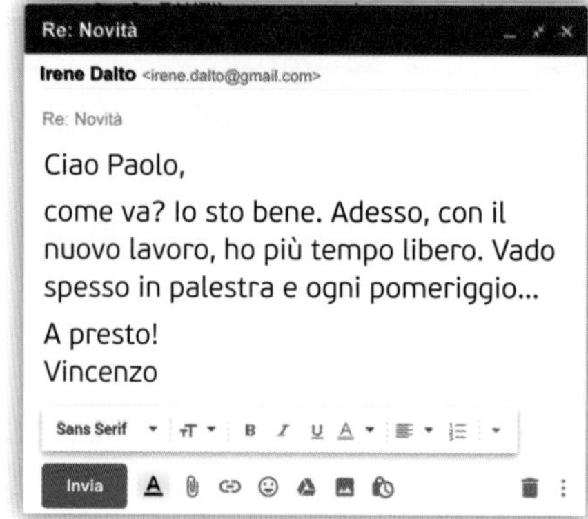
Re: Novità

Irene Dalto <irene.dalto@gmail.com>

Re: Novità

Ciao Paolo,

come va? Io sto bene. Adesso, con il nuovo lavoro, ho più tempo libero. Vado spesso in palestra e ogni pomeriggio...

A presto!
Vincenzo

## G Che ora è? / Che ore sono?

**1** Study the clocks. Then, listen and mark the times you hear.

*Sono le nove.*

*Sono le sei e trentacinque.*

*Sono le sette meno venti.*

*È l'una.*

20:15

*Sono le venti e quindici.*

12:00

*È mezzogiorno.*

24:00

*È mezzanotte.*

8:05

*Sono le otto e cinque.*

**2** Now, complete the table.

| | |
|---|---|
| ............... *l'una* ***e*** *dieci.* | ............... ***le*** *quattro* ***meno*** *venti.* |
| *È mezzogiorno* ***meno*** *un quarto.* | ***Sono*** ............... *dodici* ***e*** *cinque.* |
| *È mezzanotte* ***e*** *mezzo/a (trenta).* | ***Sono le*** *venti* ***e*** *trenta.* |

**3** Draw the hands of the clocks.

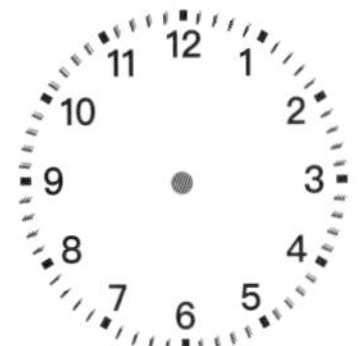

*Sono le tre e venti.*

*Sono le otto meno un quarto.*

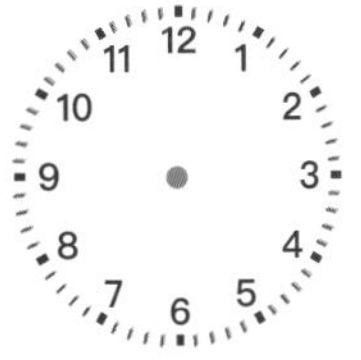

*È l'una e mezzo.*

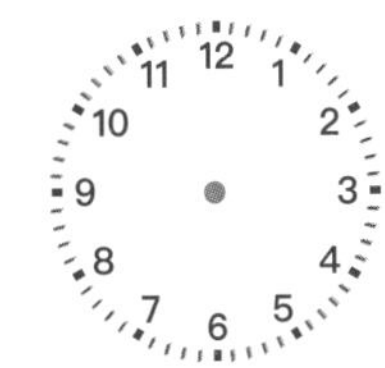

*Sono le due meno cinque.*

**4** Read the times and create short dialogues, as in the examples.

| | | |
|---|---|---|
| *8:40* | × | *9:20* |
| *12:45* | × | *13:30* |
| *15:35* | × | *18:15* |
| *22:00* | × | *20:30* |

Scusi, signora, che ore sono?

Sono le nove meno venti. / Sono le otto e quaranta.

Scusa, che ora è?
È l'una e mezzo.

**5** Work in pairs. Take turns answering the question "*Che ore sono?*", but each time add fifteen minutes, as in the example. The first person to state the wrong time loses!

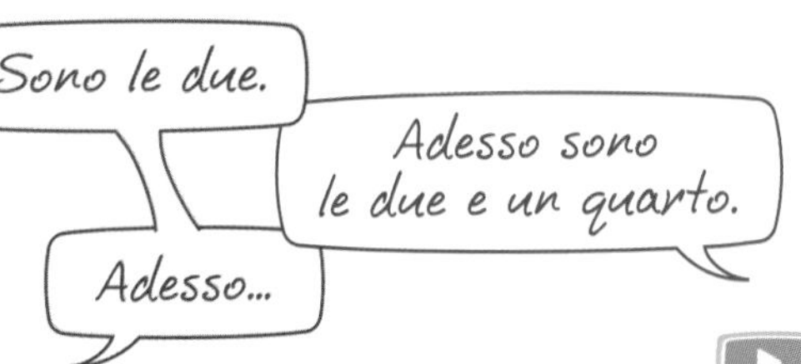
Sono le due.
Adesso sono le due e un quarto.
Adesso...

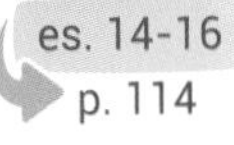
es. 14-16 p. 114

p. 88

Test finale

# I mezzi di trasporto urbano

**1 Read the text and mark the correct statements.**

Nelle città italiane, i mezzi pubblici più usati sono l'autobus, il tram e, a Roma, Milano, Torino, Brescia, Genova, Napoli, anche la metropolitana.

I passeggeri* possono comprare il biglietto in tabaccheria*, all'edicola, al bar o alle macchinette automatiche che sono nelle stazioni della metropolitana o ad alcune fermate dell'autobus. Inoltre, è possibile pagare l'abbonamento online o comprare il biglietto con il cellulare.

I passeggeri dell'autobus e del tram devono convalidare (timbrare) il biglietto all'inizio della corsa. Le macchinette per la convalida del biglietto della metro sono nelle stazioni.

1. Hanno la metro
   - ☐ a. tutte le città italiane.
   - ☐ b. alcune città italiane.
   - ☐ c. solo Roma e Milano.
2. È possibile comprare il biglietto
   - ☐ a. in tabaccheria.
   - ☐ b. sulla metro.
   - ☐ c. al supermercato.
3. In genere, un passeggero dell'autobus deve convalidare il biglietto
   - ☐ a. prima di salire.
   - ☐ b. quando scende.
   - ☐ c. quando sale.

**2 Look at the photos and complete the crossword. Then, use the letters from the blue squares to complete the name of a mode of public transportation... one that is rather special, because it is found only in Venice!**

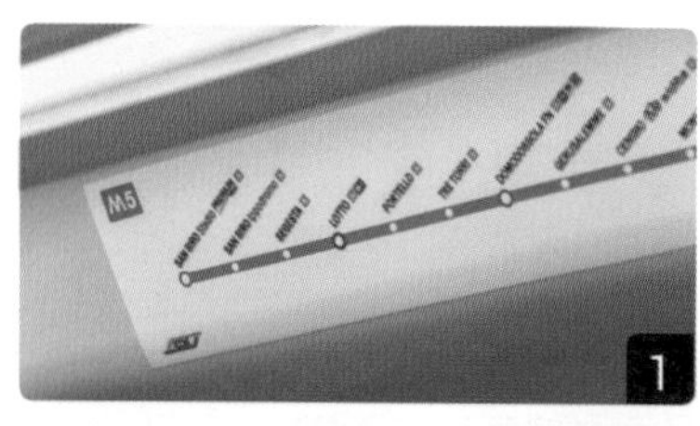
1

2 3

4

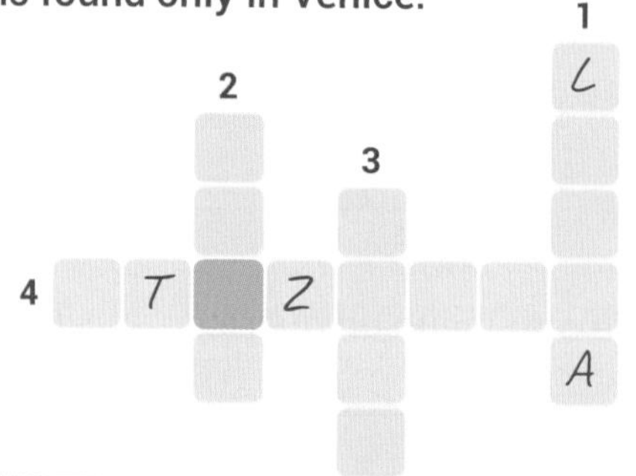


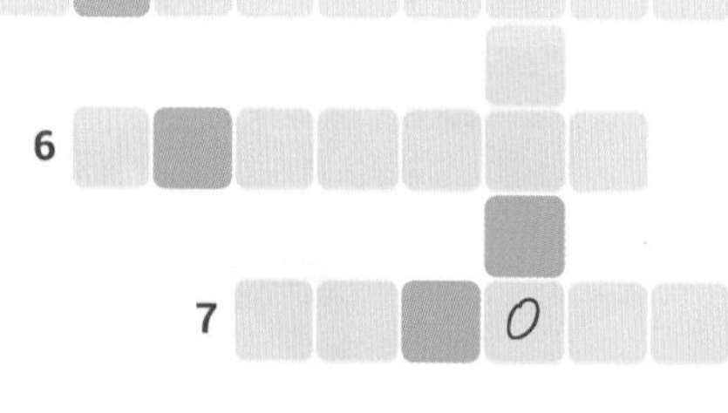

7

6

5

**Glossario.** *urbano*: della città; *passeggero*: persona che viaggia in autobus, in treno ecc.; *tabaccheria*: negozio che vende sigarette, biglietti e altri oggetti; *navigare su internet*: passare da un sito all'altro; *lettrice*: donna che legge.

# Il tempo libero degli italiani

**1** Read the text boxes and match them with the photos.

1. ☐ 2. ☐ 3. ☐ 4. ☐ 5. ☐ 6. ☐ 7. ☐ 8. ☐

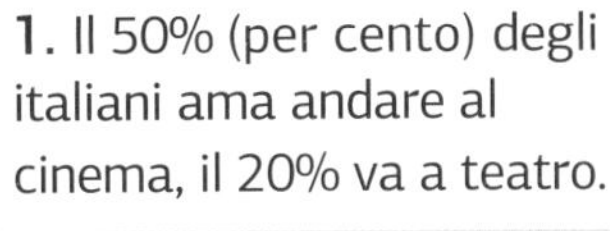

**1.** Il 50% (per cento) degli italiani ama andare al cinema, il 20% va a teatro.

**2.** Il 46% dedica il proprio tempo soprattutto alla famiglia.

**3.** Il 29% fa sport, va in palestra, ama camminare, corre, va in bicicletta.

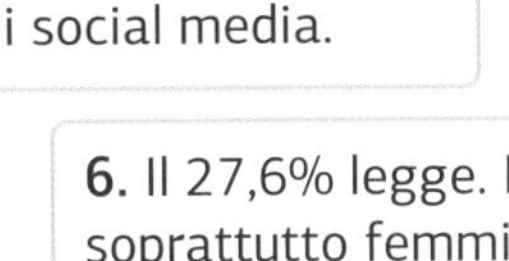

**4.** Il 54,7% degli italiani naviga su internet* o usa i social media.

**5.** Il 28,8% guarda la tv.

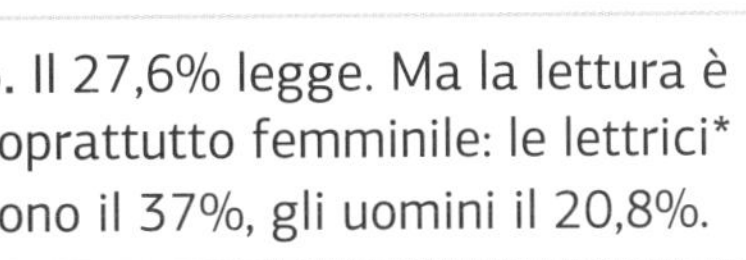

**6.** Il 27,6% legge. Ma la lettura è soprattutto femminile: le lettrici* sono il 37%, gli uomini il 20,8%.

**7.** Il 18% degli italiani fa lavori creativi, ad esempio giardinaggio.

**8.** Il 25% nel tempo libero preferisce stare con gli amici.

**Parliamo**

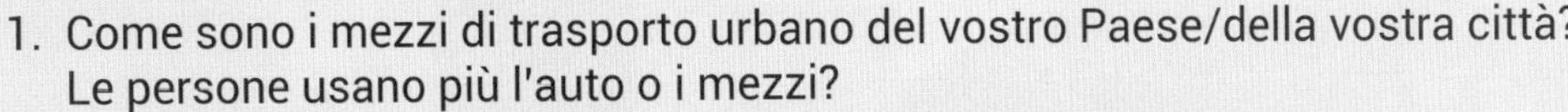

1. Come sono i mezzi di trasporto urbano del vostro Paese/della vostra città? Le persone usano più l'auto o i mezzi?
2. Quanto costano i biglietti dei mezzi pubblici nel vostro Paese?
3. Tu quale mezzo usi per andare al lavoro, a scuola ecc.? Perché?
4. Nel vostro Paese, cosa fanno le persone nel tempo libero? Le percentuali sono le stesse dell'Italia?

## AUTOVALUTAZIONE

### What do you remember from Units 1 and 2?

**1** *Sai...?* Match the two columns.

1. invitare
2. dire l'ora
3. accettare un invito
4. descrivere l'abitazione
5. rifiutare un invito

☐ a. *Grazie, ma purtroppo non posso.*
☐ b. *Andiamo insieme da Marco?*
☐ c. *Ha due camere da letto, bagno e cucina.*
☐ d. *Certo, perché no?*
☐ e. *Sono le tre e venti.*

**2** Match the questions with the answers.

1. Di dove sei?
2. Quanti anni ha Paolo?
3. Dove abiti?
4. Che tipo è?
5. Dove lavori?

☐ a. *In via San Michele, 3.*
☐ b. *È molto simpatico.*
☐ c. *Di Roma.*
☐ d. *In un ufficio.*
☐ e. *18.*

**3** Complete.

1. Quattro preposizioni: ........ ........ ........ ........
2. Prima di *sabato*: ..............................
3. Dopo *sesto*: ..............................
4. La prima persona singolare di *volere*: ..............................
5. La prima persona plurale di *fare*: ..............................

**4** Find, horizontally and vertically, the six hidden words.

| | | | | | | | | | |
|---|---|---|---|---|---|---|---|---|---|
| v | i | o | s | e | s | t | o | p | u |
| e | x | o | c | c | h | i | o | z | e |
| n | a | f | f | i | t | t | o | a | n |
| g | r | a | d | u | e | m | i | l | a |
| o | e | c | o | m | o | d | o | s | t |

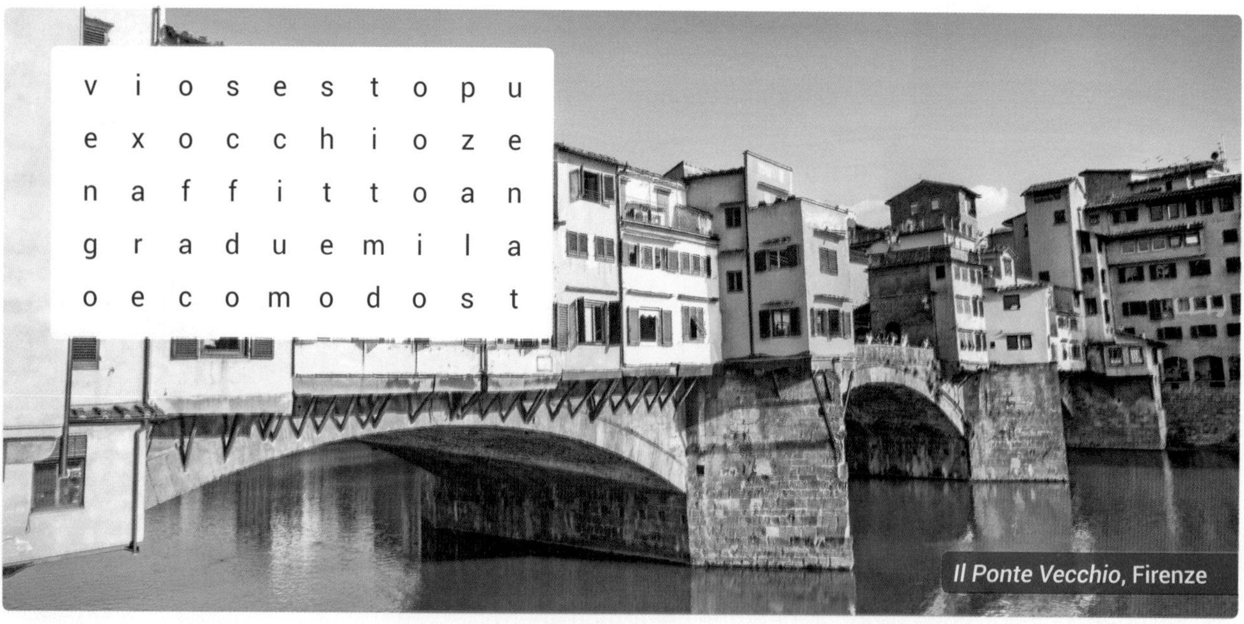

*Il Ponte Vecchio*, Firenze

Check your answers on page 92. *Sei soddisfatto/a?*

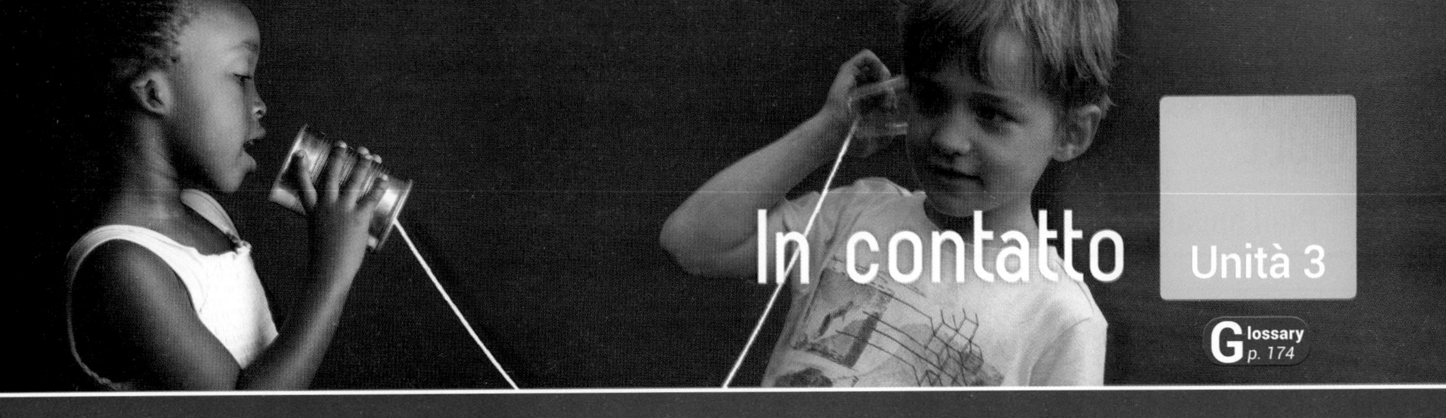


## Per cominciare...

**1** Match the words and images.

a. messaggio sul cellulare b. lettera
c. email d. social network
e. videochiamata f. pacco postale

**2** Which mode of communication do you use...

1. ...in vacanza?
2. ...in situazioni formali?
3. ...con il vostro migliore amico?
4. ...in conversazioni di gruppo?
5. ...con un collega?

22 **3** Listen to the dialogue and indicate the correct statements.

- [ ] 1. Gianna non riesce a inviare un video.
- [ ] 2. Il server ha un problema.
- [ ] 3. Michela consiglia a Gianna di andare al bar.
- [ ] 4. Gianna non sa dov'è il bar Eden.
- [ ] 5. Lorenzo abita vicino all'università.

**In this unit, we will learn:**

- *modes of communication*
- *to ask and provide information about schedules*
- *to express indefinite quantities*
- *to express doubt*
- *to talk about furniture*
- *to locate objects in space*
- *to express possession*
- *to thank others and respond to expressions of gratitude*
- *the months and seasons*
- *numbers from 2.000 to 1 million*
- *articulated prepositions*
- *the partitive article*
- *c'è, ci sono*
- *the possessives (1)*
- *to write a letter or email*
- *language related to technology*
- *some useful numbers*

## A Puoi andare al bar Eden.

22 **1 Listen to and read the dialogue to check your answers to the previous activity.**

*Michela:* Che succede?

*Gianna:* Voglio inviare un video a mia sorella, ma è impossibile!

*Michela:* Non è il tuo computer, c'è un problema con il server... fra un po' arriva il tecnico.

*Gianna:* Ah, e come faccio?

*Michela:* Mhm... Ho un'idea: durante la pausa pranzo puoi andare al bar Eden. C'è il wi-fi e... fanno dei panini buonissimi!

*Gianna:* Buona idea! È il bar accanto alla Posta, no?

*Michela:* Sì, quello.

*Gianna:* Perfetto! Ma che dico?! Non ho il mio tablet e poi all'una e un quarto ho appuntamento con Lorenzo davanti all'università...

*Michela:* Ah... ma lui ha sempre il portatile nello zaino, no? Bene... e il bar non è lontano dall'università.

*Gianna:* È vero! Posso incontrare Lorenzo al bar, così inviamo il video e mangiamo anche qualcosa.

*Michela:* Esatto!

*Gianna:* Mando subito un messaggio a Lorenzo! Grazie, Michela!

*Michela:* Figurati!

**2** Read the dialogue in pairs. Then, answer the questions.

1. Qual è il problema di Gianna?
2. Perché Michela consiglia a Gianna di andare al bar Eden? Dov'è il bar Eden?
3. A che ora hanno appuntamento Gianna e Lorenzo?

**3** Complete the sentences with: *al, all', dei, nello, alla.* Then, match the sentences as in the example in blue.

1. Deve andare ............... bar Eden.
2. È accanto ............... Posta.
3. Fanno ............... panini buonissimi.
4. Hanno appuntamento davanti ............... università.
5. È ............... zaino di Lorenzo.

- [ ] Gianna e Lorenzo
- [ ] il bar Eden
- [ ] il portatile
- [ ] al bar Eden
- [1] Gianna

**4** Work in pairs. Complete the table.

**Le preposizioni articolate**

| | | | | | | | | |
|---|---|---|---|---|---|---|---|---|
| a + il | = | ............... | in + il | = | nel | di + il | = | del |
| a + la | = | ............... | in + la | = | ............... | di + la | = | ............... |
| a + lo | = | allo | in + lo | = | ............... | di + lo | = | dello |
| a + i | = | ai | in + i | = | nei | di + i | = | ............... |
| a + le | = | ............... | in + le | = | nelle | di + le | = | ............... |
| a + gli | = | agli | in + gli | = | negli | di + gli | = | degli |
| a + l' | = | ............... | in + l' | = | nell' | di + l' | = | dell' |

| | | | | | |
|---|---|---|---|---|---|
| da + il | = | dal | su + il | = | sul |
| da + la | = | dalla | su + la | = | sulla |
| da + lo | = | ............... | su + lo | = | sullo |
| da + i | = | dai | su + i | = | ............... |
| da + le | = | dalle | su + le | = | sulle |
| da + gli | = | dagli | su + gli | = | sugli |
| da + l' | = | dall' | su + l' | = | sull' |

But: Arriva con il treno delle otto. (*In spoken Italian, col treno is also used*)
Questa lettera è per il direttore.
Fra gli studenti c'è anche un brasiliano.

5 Answer the questions following the example.

1. Da dove viene Alice?
*(da/l'Olanda)*

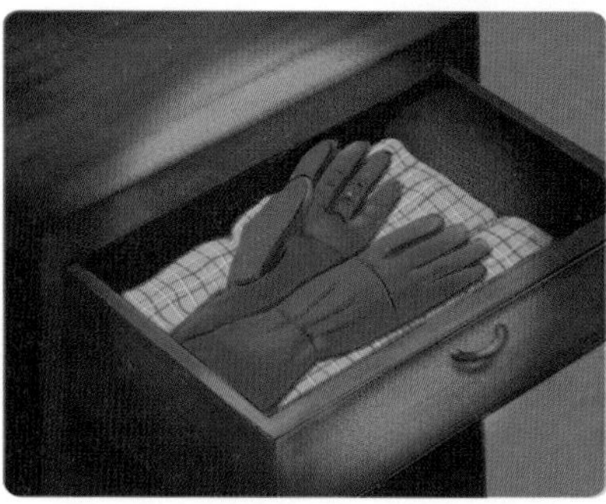

2. Marta, dove sono i guanti?
*(in/il cassetto)*

3. Di chi sono questi libri?
*(di/i ragazzi)*

4. Dove sono le riviste?
*(su/il tavolo)*

5. Vai spesso al cinema?
*(una volta a/il mese)*

6. Sai dove sono le chiavi?
*(in/la borsa)*

es. 1-4
p. 119

6 Study the table and choose the correct option.

| | | | |
|---|---|---|---|
| Va | **in** Italia, | in particolare | **nell'**Italia del Sud. |
| | **in** biblioteca, | | **alla/nella** biblioteca comunale. |
| | **a** teatro, | | **al** teatro Verdi. |
| | **a** scuola, | | **alla** scuola media "G. Rodari". |
| | **in** banca, | | **alla** Banca Commerciale. |
| | **in** ufficio, | | **nell'**ufficio del direttore. |
| | **in** treno, | | **con il** treno delle 10. |

Usually, to refer to a specific rather than to a generic place or mode of transportation, we use the preposition:

☐ semplice ☐ articolata

es. 5-8
p. 120

7 Look at the examples and complete the table on page 47.

Mangio un panino. → Fanno *dei panini* buonissimi. = (alcuni panini)
Viene a cena un'amica. → Vengono a cena *delle amiche*. = (alcune amiche)

### Il partitivo

| | | | | |
|---|---|---|---|---|
| **un** regalo | ➜ | ............... regali | = | *(alcuni regali)* |
| **un** amico | ➜ | **degli** amici | = | *(alcuni amici)* |
| **una** ragazza | ➜ | ............... ragazze | = | *(alcune ragazze)* |
| but also: | | "Vado a comprare **del** latte" | = | *(un po' di latte)* |
| | | "Vado a comprare **dello** zucchero" | = | *(un po' di zucchero)* |

**8** Complete the sentences aloud using the correct partitive and the words provided below the images.

1. Vado al panificio a comprare ...
2. Aspetto ... per andare a teatro.
3. Devo restituire ... in biblioteca.
4. Domani arrivano ... americani.
5. Chi vuole ...?

libri

pane

frutta

amiche

studenti

es. 9 p. 122

**9** Play in pairs. Your instructor will say one simple preposition and you will have 30 seconds to write, when possible, a correct expression (preposition + word) for each of the categories provided. Continue with another preposition and so on: each correct word is worth 1 point. Let's see which pair earns the most points!

luogo | mezzo | tempo

## B A che ora?

23 **1** Listen to the short dialogues and match them with the photographs. Note: there is one missing photo.

a

b

c

23 **2** Listen to the short dialogues again and mark the expressions you hear.

- Apre alle 9. ☐
- Dalle 9 alle 13. ☐
- Chiude alle 13. ☐
- Alle 10.15. ☐
- Alle 14.45. ☐
- Sono le cinque e mezza. ☐
- Dalle tre alle cinque. ☐
- Verso le 16. ☐
- Fino alle 20. ☐
- All'una e mezza. ☐
- Dalle 9 alle 18. ☐
- Verso l'una. ☐

**3** With a classmate, take turns asking and responding to the following questions:

- *a che ora esce di casa la mattina*
- *a che ora pranza/cena*
- *a che ora esce il sabato sera*
- *qual è il suo orario di lavoro*

**4** Look at the photos and state the time at which the following offices and stores in Italy open and close.

a. farmacia

ORARIO SPORTELLO
Da Lunedì a Venerdì
dalle ore 08:35 alle ore 13:25
dalle ore 14:35 alle ore 16:15

b. banca

c. biblioteca

d. ufficio postale

At what time do these places open and close in your country?

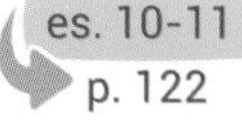
es. 10-11 p. 122

**5 a** In pairs, put the dialogue in order.

- 1 *Mario:* C'è qualcosa di interessante in tv stasera?
- ☐ *Mario:* Probabilmente alle 9. Ma su quale canale?
- ☐ *Mario:* Andiamo da Stefano a vedere la partita?
- ☐ *Mario:* È vero! C'è Juve-Milan! Sai a che ora comincia?
- ☐ *Gianni:* Beh, è ancora presto, più tardi...
- 4 *Gianni:* Non sono sicuro. Forse alle 8... o alle 9?
- ☐ *Gianni:* Ma... non so! C'è una partita di calcio.
- ☐ *Gianni:* Penso su *Canale 5*.

**b** Now, search the dialogue for the expressions needed to complete the table.

**Esprimere incertezza e dubbio**

| | |
|---|---|
| *Ma... non so.* | ........................ |
| ........................ | *Boh!* |
| ........................ | *Non credo.* |
| ........................ | *Ma... non sono sicuro.* |

**6** With a classmate, take turns asking and responding to the following questions:

- *se vuole uscire domani*
- *a che ora pensa di tornare a casa*
- *quanto costa un caffè in Italia*
- *che regalo vuole per il suo compleanno*

es. 12 p. 123

## C Dov'è?

**1** Work in pairs. Match the sentences with the photos.

☐ 1. - Dove sono gli abiti? - Dentro l'armadio.
☐ 2. - Dov'è il televisore? - Accanto al camino.
☐ 3. - Il divano? - Davanti alla finestra.
☐ 4. - Dov'è la libreria? - È dietro la scrivania.
*d* 5. - Le sedie? - Intorno al tavolo.
☐ 6. - Dove sono le maschere? - Sono sulla parete.
☐ 7. - Il tavolino? - Tra le poltrone.
☐ 8. - Dov'è il tappeto? - Sotto la lampada.
☐ 9. - Il quadro? - Sopra il camino.
☐ 10. - Dov'è la pianta? - Vicino alla poltrona.

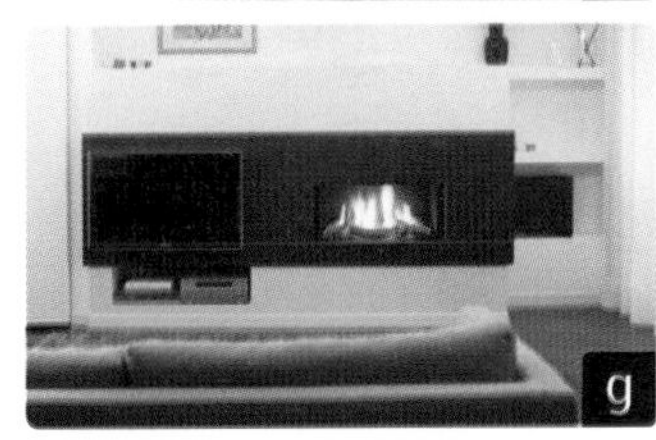


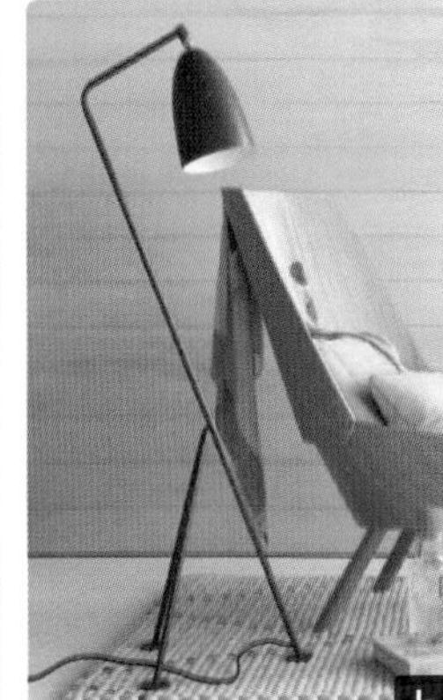

**2** Re-read the first three sentences of Activity C1 and complete the following sentences with the highlighted words.

Dov'è il gatto?

.................................... scatola. .................................... scatola. .................................... scatola.

**3** Study the photos and choose the correct option.

1. Il tappeto è tra il / sotto il tavolino e il divano.
2. Il tavolino è dietro il / davanti al divano.
3. La lampada è intorno alla / dietro la poltrona.
4. La lampada è a sinistra della / sopra la finestra.
5. Sopra il / A destra del camino c'è uno specchio.
6. Sulle / Accanto alle poltrone ci sono dei cuscini.

**4** Read the last two sentences of Activity C3. When do you think we use *c'è* and when do we use *ci sono*? Then, complete the sentences.

- Pronto! Buongiorno, signora Alessi! Sono Piero, .................... Matteo?
- Buongiorno, Piero! No, Matteo non c'è. È ancora all'università.

- Piero, è vero che domani non .................... treni?
- Sì, infatti, .................... sciopero generale!

- Ciao, Paolo! Sei in ritardo, sai!
- Sì, lo so, ma oggi .................... veramente molto traffico.

**5** Study the images and describe the differences between them, as in the example.

Nell'immagine A c'è il camino, invece nella B non c'è.

es. 13-15
p. 123

## D Di chi è?

**1** Read the cartoon and complete the table.

**I possessivi (1)**

| | | |
|---|---|---|
| io | il mio | la ............ |
| tu | il ............ amico | la ............ rivista |
| lui/lei | il ............ | la sua |

The plural forms of the possessives are introduced in Unità 6.

Di chi è questa rivista? È tua, Gino?
No, non è mia, ...è sua!


**2** Complete the sentences.

1. Giulia, posso prendere il ............ motorino domani?
2. Marta viene con il ............ ragazzo stasera.
3. Non conosco bene Pietro, perciò non vado alla ............ festa.
4. Quanto è bella la ............ casa, Gianni! Quanto paghi di affitto?
5. In agosto vado per un mese da una ............ amica in Sicilia.

**3** Look at the images and create sentences, as in the example.

*La mia penna è blu.*

penna / blu

regalo / bello

scrivania / vecchia

macchina / nuova

televisore / grande

ragazza / italiana

es. 16 p. 124

## E Grazie!

**1** **Listen to the short dialogues and match them with the photos.**

a. • Scusi, signora, sa a che ora parte il treno?
• Fra dieci minuti, credo.
• Grazie mille!
• Prego!

b. • Giulia, puoi prendere una delle due valigie?
• Certo, nessun problema.
• Grazie!
• Figurati!

c. • Ecco gli appunti per il tuo esame.
• Grazie tante, Silvia!
• Di niente!

d. • Signora, sa a che ora apre il parco?
• Dalle 10 alle 20, ma solo in estate, da giugno a settembre.
• Grazie!
• Non c'è di che!

1 ☐

2 ☐

3 ☐

4 ☐

**2** **Search the dialogues in Activity E1 for the expressions needed to complete the table.**

| Ringraziare | Rispondere a un ringraziamento |
|---|---|
| *Grazie!* | ........................ |
| *Ti ringrazio! / La ringrazio!* *(informale) (formale)* | ........................ |
| ........................ | ........................ |
| ........................ | ........................ |

**3** **Now, complete the short dialogues.**

• Scusi, signore, sa dov'è la Banca Intesa?
• Sì, è in via Manzoni, accanto alla posta.
• ........................
• ........................

• Scusa, a che ora aprono i negozi oggi?
• ........................
• ........................
• Non c'è di che!

• ........................?
• Sono le 9.
• Grazie!
• ........................

• Scusi, quanto costa questo divano?
• 1200 euro.
• ........................
• Di niente!

es. 17 p. 125

## F Vocabolario e abilità

**1** The months and seasons. Complete the diagram with the months listed on the right.

*agosto* ✶ *dicembre*
*aprile* ✶ *ottobre*

es. 18 p. 125

**2** Numbers from 1.000 to 1.000.000. Complete the table.

| | | | |
|---|---|---|---|
| 1.000 | mille | .............................. | diecimilacinquecento |
| .............................. | millenovecentonovanta | 505.000 | cinquecentocinquemila |
| 2.000 | duemila | 1.000.000 | un milione |
| 6.458 | seimilaquattrocentocinquantotto | 4.300.000 | quattro milioni trecentomila |

 **3** Provide the requested information, as in the example.

Il prezzo del nuovo modello dell'Alfa Romeo? (29.500 €)

Ventinovemilacinquecento euro.

1. L'anno della scoperta dell'America? (*1492*)
2. Gli abitanti di Roma? (*2.900.000*)
3. Il prezzo di uno scooter Aprilia? (*2.860 €*)
4. L'anno della tua nascita? (...)
5. Il costo di una villa sul lago di Como? (*3.470.000 €*)
6. Il prezzo dell'auto che vuoi comprare? (*43.900 €*)

es. 19-21 p. 125

**4 Ascolto**

Workbook (p. 126)

**5 Scriviamo**

Email, Facebook, Twitter, chat/messages, other...: which one do you prefer? Why?

p. 89

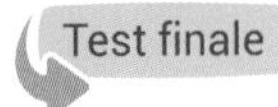

# Scrivere un'email o una lettera

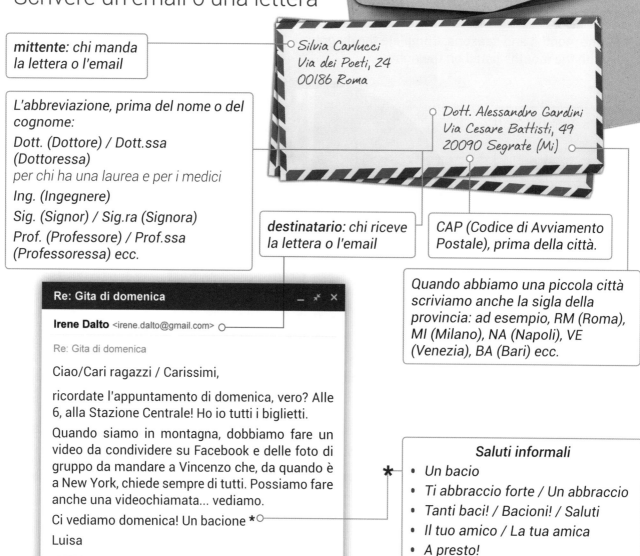

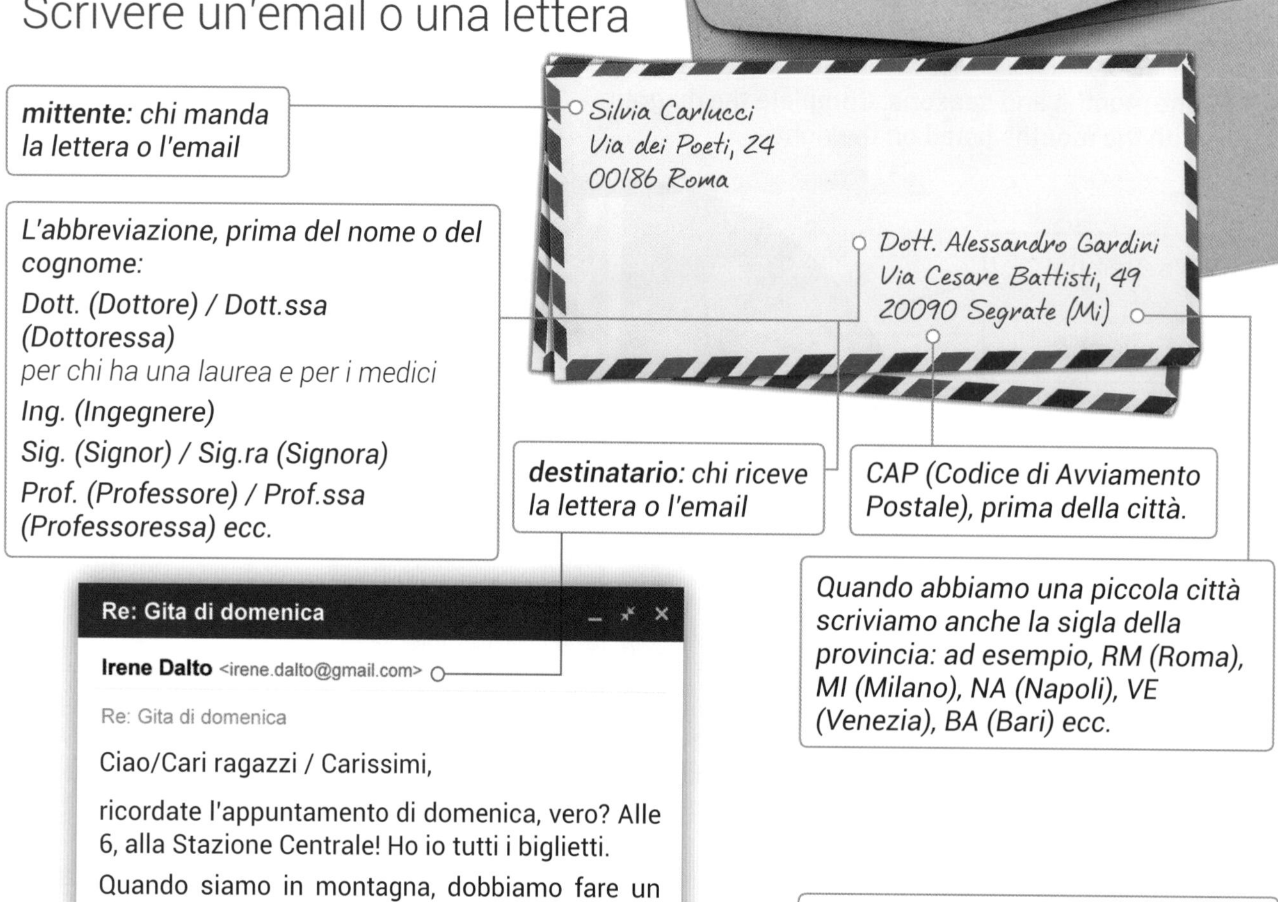

**mittente:** *chi manda la lettera o l'email*
Silvia Carlucci
Via dei Poeti, 24
00186 Roma
Dott. Alessandro Gardini
Via Cesare Battisti, 49
20090 Segrate (Mi)
*L'abbreviazione, prima del nome o del cognome:*
*Dott. (Dottore) / Dott.ssa (Dottoressa)*
per chi ha una laurea e per i medici
*Ing. (Ingegnere)*
*Sig. (Signor) / Sig.ra (Signora)*
*Prof. (Professore) / Prof.ssa (Professoressa) ecc.*
**destinatario:** *chi riceve la lettera o l'email*
CAP (Codice di Avviamento Postale), prima della città.
*Quando abbiamo una piccola città scriviamo anche la sigla della provincia: ad esempio, RM (Roma), MI (Milano), NA (Napoli), VE (Venezia), BA (Bari) ecc.*
Re: Gita di domenica
Irene Dalto <irene.dalto@gmail.com>
Re: Gita di domenica
Ciao/Cari ragazzi / Carissimi,
ricordate l'appuntamento di domenica, vero? Alle 6, alla Stazione Centrale! Ho io tutti i biglietti.
Quando siamo in montagna, dobbiamo fare un video da condividere su Facebook e delle foto di gruppo da mandare a Vincenzo che, da quando è a New York, chiede sempre di tutti. Possiamo fare anche una videochiamata... vediamo.
Ci vediamo domenica! Un bacione *
Luisa
Sans Serif


* **_Saluti informali_**

- *Un bacio*
- *Ti abbraccio forte / Un abbraccio*
- *Tanti baci! / Bacioni! / Saluti*
- *Il tuo amico / La tua amica*
- *A presto!*
- *Tuo/a..!*

# Il linguaggio dei messaggi...

Oggi ragazzi e adulti usano sempre più servizi di messaggeria istantanea come WhatsApp e sempre meno gli sms. La comunicazione è più veloce ed esistono tipiche espressioni di italiano digitato.

**1** **Match the examples of electronic abbreviations with the correct meaning.**

| | | |
|---|---|---|
| a. cmq | ☐ | 1. ti amo tanto |
| b. grz | ☐ | 2. per |
| c. pfv | ☐ | 3. comunque |
| d. tvb | ☐ | 4. perché |
| e. x | ☐ | 5. grazie |
| f. tat | ☐ | 6. per favore |
| g. xké | *d* | 7. ti voglio bene |

Carrier 9:01 AM
Gianna
Michela, prendo un 🍔 anche x te?
Grz!!!

## ... e dell'informatica

Nel campo della tecnologia, gli italiani usano generalmente le espressioni inglesi come *account, file, link, password*... Alcune parole, però, esistono anche in italiano.

**2** Write the Italian words below the corresponding symbols.

*faccina* ⁎ *cliccare* ⁎ *condividere* ⁎ *caricare* ⁎ *cartella* ⁎ *scaricare*
*sito internet* ⁎ *chattare*

..................................

..................................

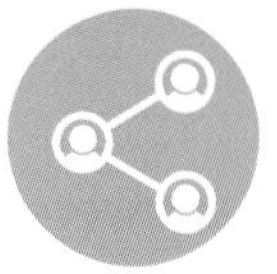
..................................

..................................

..................................

..................................

..................................

..................................

## Telefonare in Italia

Per telefonare dall'estero in Italia, bisogna fare lo 0039, il prefisso della città e il numero della persona desiderata. Naturalmente, per chiamare un numero cellulare non facciamo il prefisso della città.

Come in tutti i Paesi, anche in Italia ci sono alcuni **numeri utili** sia ai cittadini italiani che ai turisti. Il più importante è il 112, il numero per le emergenze valido in tutta Europa, che in Italia corrisponde ai Carabinieri.

**Alcuni numeri utili in Italia**

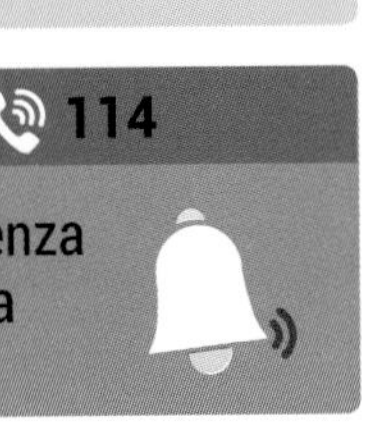


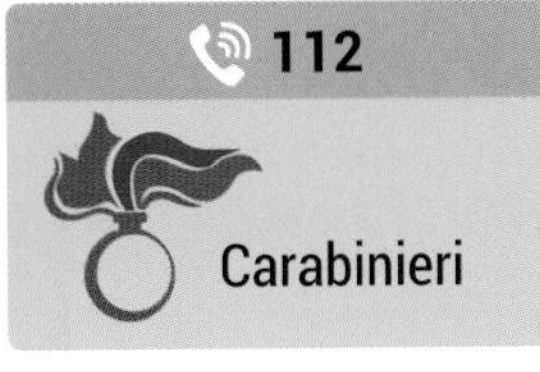

**Prefissi di alcune città italiane**

Roma 06
Milano 02
Napoli 081
Firenze 055
Palermo 091
Venezia 041

**1** Answer the questions.

1. Qual è il numero per chiamare l'ambulanza in Italia?
2. Qual è il prefisso internazionale per chiamare nel tuo Paese?
3. Quali sono i tre numeri di emergenza più importanti nel tuo Paese?

## AUTOVALUTAZIONE

### What do you remember from Units 2 and 3?

**1** *Sai...?* Match the two columns.

1. chiedere l'ora
2. esprimere incertezza, dubbio
3. rispondere a un ringraziamento
4. chiudere una lettera
5. ringraziare

☐ a. *Grazie tante, Silvia!*
☐ b. *Forse vengo anch'io.*
☐ c. *Ma figurati!*
☐ d. *Scusi, che ore sono?*
☐ e. *Tanti saluti!*

**2** Match the questions with the answers.

1. Vuoi venire con noi al cinema?
2. Quando posso trovare il medico?
3. Dov'è il bagno?
4. Com'è la casa di Stella?
5. Ti ringrazio!

☐ a. *Non c'è di che.*
☐ b. *Bella, grande e luminosa.*
☐ c. *Ogni giorno dalle 10 alle 18.*
☐ d. *Sì, volentieri!*
☐ e. *Accanto alla camera da letto.*

**3** Complete.

1. Due mezzi di trasporto urbano: .................................... ....................................
2. Dopo *dicembre*: ....................................
3. Il contrario di *sotto*: ....................................
4. La prima persona singolare di *tenere*: ....................................
5. La prima persona plurale di *volere*: ....................................

**4** In each group, find the word that does not belong.

1. email | festa | videochiamata | lettera
2. appartamento | piano | intorno | affitto
3. mese | stagione | anno | mezzogiorno
4. mittente | cellulare | telefonare | prefisso
5. armadio | tavolo | poltrona | soggiorno

Check your answers on page 92.
*Sei soddisfatto/a?*

Piazza del Campo, Siena

# Buon fine settimana! Unità 4

Glossary p. 176

## Per cominciare...

**1** What do you like to do during the weekend?

Nel fine settimana preferisco...

- ☐ fare sport
- ☐ riordinare la casa
- ☐ prendere un caffè al bar con gli amici
- ☐ dormire tutto il giorno
- ☐ fare una gita
- ☐ uscire con la mia famiglia
- ☐ andare in giro per negozi
- ☐ visitare un museo
- ☐ mangiare una pizza in compagnia
- ☐ altro...

**2** Compare your answers with two classmates. Do you do the same things during the weekend?

26 **3** Listen to the dialogue and mark the places where Lorenzo (L) and Chiara (C) went on the flyers.

Botticelli e Filippino ☐ | Pizza Fest ☐ | Music a Museo ☐ | Festa della Pasta ☐ | Daniele Silvestri – Piazza del Duomo – Milano ☐

26 **4** Listen to the dialogue again and mark the correct statements.

1. Lorenzo sabato è uscito: ☐ a. con Gianna ☐ b. con gli amici ☐ c. con Chiara
2. Chiara è rimasta a casa: ☐ a. sabato ☐ b. domenica ☐ c. il fine settimana

**In this unit, we will learn:**

- to talk about what we do during the weekend
- to recount past events
- to situate an event in the past
- to ask for and state the date
- to order in a coffee shop
- to express preferences

- the past participle: regular and irregular verbs
- the present perfect
- the adverb ci
- the use of adverbs with the present perfect
- Modal verbs with the present perfect

- what Italians do during the weekend
- what Italian coffee shops are like and how Italians drink coffee

## A Come hai passato il fine settimana?

**1** Read the dialogue to check your answers to the previous activity.

*Chiara:* Buongiorno Lorenzo, come va?
*Lorenzo:* Non c'è male, grazie. E tu?
*Chiara:* Abbastanza bene. Allora? Come hai passato il fine settimana?
*Lorenzo:* Mah... bene, devo dire.
*Chiara:* Racconta, dai!
*Lorenzo:* Allora... sabato sono andato al cinema con Gianna. Prima, però, abbiamo mangiato qualcosa al bar accanto... che ridere!
*Chiara:* Per il film? Una commedia?
*Lorenzo:* No, non per il film, al bar! Il cameriere ha portato l'ordine sbagliato o forse noi abbiamo fatto confusione...
*Chiara:* Davvero? E domenica?
*Lorenzo:* ...Domenica pomeriggio sono uscito con due amici dell'università. Prima abbiamo fatto un giro in centro e poi siamo andati al Pizza Festival: un sacco di gente!
*Chiara:* Pizza Festival?
*Lorenzo:* Sì, abbiamo provato tante pizze diverse. E tu, che cosa hai fatto di bello? Hai visto la mostra su Botticelli alla fine?
*Chiara:* Purtroppo no. Il museo chiude alle 19 e sono arrivata tardi.
*Lorenzo:* Peccato! E allora?
*Chiara:* Eh, niente, sabato sera sono rimasta a casa. Domenica invece sono stata a un concerto con Michela. Bellissimo! Abbiamo ballato tanto.
*Lorenzo:* Bene! Senti, ...andiamo a mangiare qualcosa? Ah, conosco un bar dove il cameriere sbaglia tutto!

**2** **Read the dialogue in pairs: one of you will read the part of Chiara and the other will read the part of Lorenzo.**

**3** **Answer the questions.**

1. Con chi è uscito domenica Lorenzo?
2. Dov'è andato Lorenzo domenica?
3. Perché Chiara non ha visto la mostra su Botticelli?
4. Che cosa ha fatto Chiara domenica sera?

**4** **Read and complete the summary of the dialogue with the verbs provided, as in the example in blue.**

*usciti* ⌘ *mangiato* ⌘ *fatto* ⌘ *andati* ⌘ *state*
*visto* ⌘ *provato* ⌘ *ballato*

Sabato pomeriggio Lorenzo e Gianna sono ...*usciti*... (1) insieme.
Prima hanno .................... (2) qualcosa al bar e poi sono .................... (3) al cinema.
Domenica Lorenzo ha .................... (4) una passeggiata in centro con due amici e poi ha .................... (5) diverse pizze al Pizza Festival.
Sabato Chiara non ha .................... (6) la mostra su Botticelli. Domenica lei e Michela sono .................... (7) a un concerto e hanno anche .................... (8).

**5** **Study the highlighted words: they are verbs in the present perfect (*passato prossimo*), which we use to recount past events.**

**Passato prossimo**

| | |
|---|---|
| Come hai passato il fine settimana? | Sono uscito con due amici. |
| Ho mangiato un gelato. | Siamo andati al Pizza Festival. |
| Ha ricevuto una telefonata. | Siamo state a un concerto. |

**Now, complete the rule.**

**Passato prossimo**

| | | | |
|---|---|---|---|
| presente del verbo **avere** o .................... | + | **participio passato** | mangiare → mangi..........<br>ricevere → ricevuto<br>uscire → usc.......... |

**6 a** Complete the table with: *ato, uto, ito.*

**Passato prossimo con avere**

| | | |
|---|---|---|
| Ho | vend........... | la vecchia casa. |
| Hai | dorm........... | molte ore domenica? |
| Ha | parl........... | di Michela a Lorenzo. |
| Abbiamo | av........... | molta fortuna. |
| Avete | cap........... | quando usiamo il passato prossimo? |
| Hanno | mangi........... | la pasta o la pizza? |

**b** Put the words in order to construct the sentences. The first word of the sentence is the highlighted one.

1. visitato / ieri / San Pietro. / abbiamo

   ..........................................................................................................

2. fino alle / lavorato / Carla / cinque. / hanno / Pina / e

   ..........................................................................................................

3. bar. / ho / cornetto / al / stamattina / mangiato / un

   ..........................................................................................................

4. lavorare / ha / Stefano / di / tardi. / finito

   ..........................................................................................................

5. la / venduto / macchina. / sua / ha / Giulia

   ..........................................................................................................

es. 1-2
p. 129

**7 a** Complete the table with the correct form of the past participles provided below, as in the example. Pay attention to the subject of the sentence.

**Passato prossimo con essere**

| | | | |
|---|---|---|---|
| Io sono | .................... | a teatro due giorni fa. | entrato/entrata |
| Matilde, sei già | tornata | dal lavoro? | saliti/salite |
| Roberto è | .................... | in un negozio. | andato/andati |
| Io e mio fratello siamo | .................... | un mese fa. | usciti/uscite |
| Ragazze, siete | .................... | l'altro ieri? | tornato/tornata |
| Lorenzo e Livia sono | .................... | al quarto piano. | partiti/partite |

**b** Complete the sentences with the present perfect form of the verbs in parentheses.

1. L'estate scorsa io e la mia famiglia .......................................... (*andare*) ad Amalfi.
2. Ieri sera Patrizia non .......................................... (*uscire*) di casa.
3. Stella e Luca .......................................... (*partire*) per la Germania un anno fa.
4. A che ora .......................................... (*tornare*) ieri notte, Carla?
5. .......................................... (io, *arrivare*) a lezione alle 9.

Amalfi



es. 3-4
p. 129

## B Ma che cosa è successo?

**1** On December 12, three computers were stolen from the university. The police interrogate the students: Student *A* is the police officer who asks the questions, while Student *B* is a student, Luigi.

**Student *A*** can use the following questions: *Cosa ha fatto alle... ? / Poi, a che ora... ? / Con chi è andato... ?*

**Student *B*** will refer to the agenda and answer the questions.

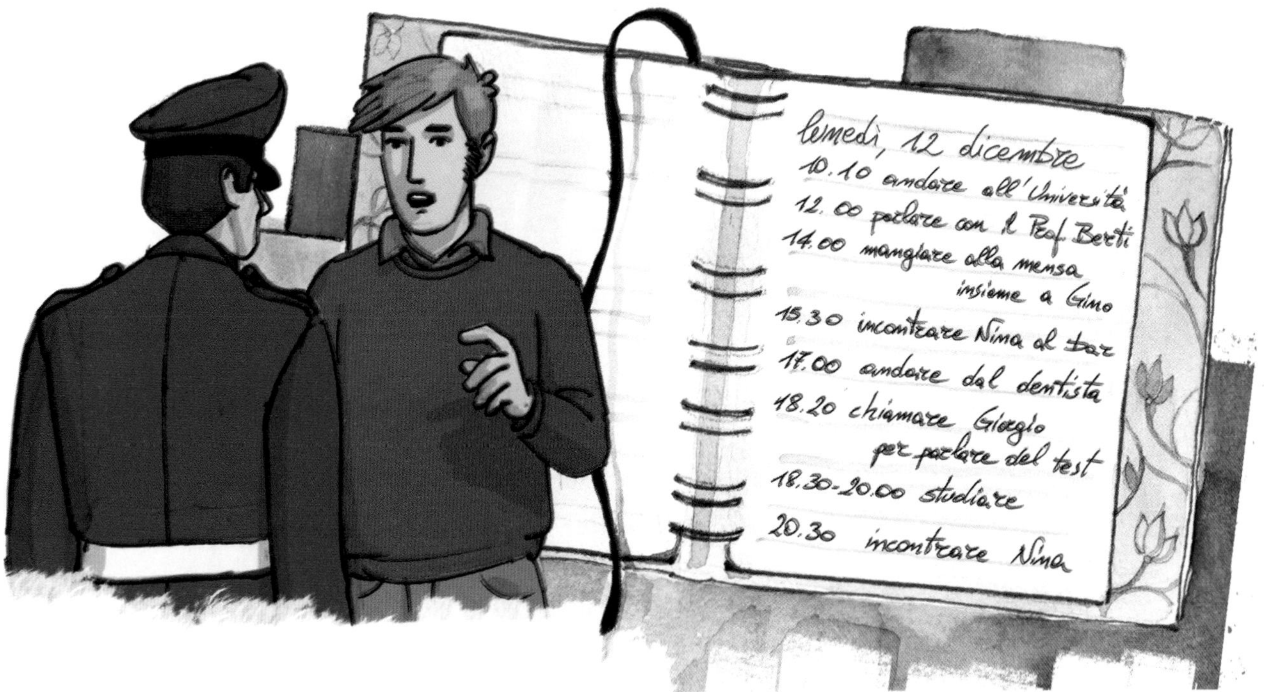


**2** Study these verbs: "*Con chi è andato...?*", "*A che ora ha mangiato?*".
When do you think we use *essere* and when do we use *avere* to form the *passato prossimo*?

Complete the table with the verbs: *mangiare, andare, restare*.

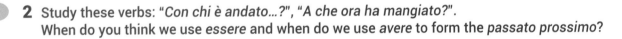

### *Essere o avere?*

**a. Formano il passato prossimo con essere:**

1. verbi di movimento: ............................, *entrare, partire, tornare, uscire, venire* ecc.
2. verbi di stato: ............................, *rimanere, stare* ecc.
3. alcuni verbi che non hanno un oggetto (intransitivi): *essere, nascere, piacere, succedere* ecc.

**b. Formano il passato prossimo con avere:**

1. i verbi che possono avere un oggetto (transitivi): *avere molti amici, bere un caffè, chiamare Gianna,* ............................ *un panino* ecc.
2. alcuni verbi intransitivi: *camminare, dormire, lavorare* ecc.

*The complete table is found in the* Approfondimento grammaticale *on page 166.*

es. 5-6 p. 130

**3** **Now read the entire dialogue between Luigi and the police officer.**

*agente:* Cosa ha fatto il 12 dicembre?
*Luigi:* Se ricordo bene... quel giorno sono arrivato presto all'università... verso le 10... ma sono subito entrato nell'aula per la lezione.
*agente:* E poi?
*Luigi:* Dopo la lezione ho chiacchierato un po' con gli altri studenti del corso e poi sono andato alla mensa.
*agente:* Da solo?
*Luigi:* No, ci sono andato con Gino! Però... prima ho incontrato il professor Berti.
*agente:* Hmm, poi cosa ha fatto?
*Luigi:* Dopo che abbiamo finito di mangiare, io sono andato al bar per incontrare Nina, la mia ragazza. Abbiamo bevuto un caffè e dopo un'ora e mezza circa, cioè verso le cinque, sono andato dal dentista. Poi sono tornato a casa.
*agente:* E dopo, cos'è successo dopo?
*Luigi:* Mah, niente di speciale... ho studiato un po' e più tardi è venuta anche Nina. Abbiamo ordinato una pizza, abbiamo guardato la tv, abbiamo parlato un po' e alla fine siamo andati a dormire.

**4** **Look at the drawings and use expressions from the table to describe another day in Luigi's life.**

**Raccontare**

| | |
|---|---|
| *all'inizio... / per prima cosa...* | *prima... / prima di mangiare...* |
| *dopo le due...* | *poi... / dopo...* |
| *più tardi...* | *così... / alla fine...* |

1 telefonare / Nina

2 incontrare / Nina / università

3 andare / bar

4 mangiare / mensa

5 tornare / casa

6 andare / palestra



es. 7 p. 131

**5** What does "*ci*" substitute in this sentence? You can also refer to the *Approfondimento grammaticale* on page 168.

*No, ci sono andato con Gino!*

es. 8 p. 131

**6 a** Observe the sentences "cosa ha *fatto*?", "abbiamo *bevuto*", "è *venuta* anche Nina": what are the infinitive forms of these verbs?

**b** Work in pairs. Connect the infinitive forms with the past participles.

**Participi passati irregolari**

| | | | |
|---|---|---|---|
| dire | (ha) ***letto*** | chiedere | (ha) ***chiesto*** |
| fare | (ha) ***scritto*** | rispondere | (è) ***rimasto*** |
| leggere | (ha) ***fatto*** | vedere | (ha) ***risposto*** |
| scrivere | (ha) ***detto*** | rimanere | (ha) ***visto*** |
| chiudere | (ha) ***chiuso*** | conoscere | (ha) ***bevuto*** |
| prendere | (ha) ***preso*** | vincere | (è) ***piaciuto*** |
| aprire | (ha) ***offerto*** | piacere | (ha) ***conosciuto*** |
| offrire | (ha) ***aperto*** | bere | (ha) ***vinto*** |
| venire | (è) ***stato*** | mettere | (ha) ***messo*** |
| essere/stare | (è) ***venuto*** | succedere | (è) ***successo*** |

*The complete list of irregular past participles can be found in the* Approfondimento grammaticale *on page 167.*

**7** With a classmate, take turns asking the following questions:

1. In quale città Romeo (*conoscere*) Giulietta?
2. Chi (*scrivere*) la Divina Commedia?
3. Che cosa (tu, *fare*) lo scorso fine settimana?
4. Qual è l'ultimo film che (tu, *vedere*) al cinema?
5. Quale squadra (*vincere*) gli ultimi mondiali di calcio?
6. Quante volte (tu, *essere*) in Italia?

*Il balcone di Giulietta*, Verona

**8 Mirror**

- Student *A*, will stand and silently act out one of the verbs provided below.
- Student *B*, with their book closed, will copy Student *A*'s actions (like a mirror) and then will state the verb and its past participle.
- Then, switch roles. Each student will act out at least 4 verbs.

scrivere | suonare | cantare | chiudere | ascoltare | scendere
vedere | leggere | dormire | mangiare | uscire | bere

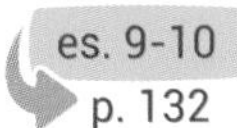

es. 9-10 p. 132

## C Un fine settimana al museo

1. Quando e dove è iniziato il progetto "Musica al Museo"?
2. Quanto tempo dura l'evento?
3. Che tipo di concerti ospita il museo?
4. Quando Manara è diventato primo violinista del Quartetto d'Archi della Scala?

**1** Read the text and answer the questions.

### Sardegna: sette appuntamenti musicali

Il museo della città di Sassari ha pubblicato il programma di "Musica al Museo", il progetto che è iniziato solo due anni fa, ma che è già diventato un appuntamento fisso per il pubblico della città sarda. Infatti, ogni anno, da gennaio a marzo, il Museo ospita artisti locali e internazionali e propone concerti jazz, folk, blues e di musica classica.

Come l'anno scorso, il primo ospite è Francesco Manara, violinista che ha vinto molti premi internazionali e che alcuni anni fa è diventato primo violino del Quartetto d'Archi della Scala.

Appuntamento sabato sera alle 21 al Museo!

adattato da *www.sardegnadies.it*

**2** Re-read the text and complete the table with the expressions in green.

**Quandoo?**

un'ora fa / tre giorni fa / ........................ / ........................
martedì scorso / la settimana scorsa / il mese scorso /
nel dicembre scorso / l'estate scorsa / ........................

| | | Data precisa |
|---|---|---|
| giorno: | parte / è partito<br>parte | **il** 18 gennaio / giovedì scorso<br>**il** 20 marzo / domenica prossima |
| mese: | è tornato<br>torna / è tornato | **nel** novembre scorso<br>**a** / **in** giugno, settembre |
| anno: | è nato | **nel** 2002, **a** febbraio<br>**nel** febbraio **del** 2002 |

es. 11
p. 133

**3** **Student *A*: ask your partner when:**

- *è nato*
- *è stata l'ultima volta che è andato in vacanza*
- *ha finito la scuola (elementare)*
- *ha cominciato a studiare l'italiano*

**Student *B*: answer Student *A*'s questions.**

At the end, Student *A* must report Student *B*'s answers to the rest of the class ("è *nato nel...*" etc.).

**4** In pairs, study the events below and exchange information about them, as in the example.

*Quando è morto Fellini?*

*Nel 1993.*

Quando... ? | In che anno... ? | Cosa è successo nel... ?

**maggio 2013**

esce il film di Paolo Sorrentino, *La grande bellezza*

**1° luglio 2017** Vasco Rossi stabilisce il nuovo record mondiale: 220.000 spettatori al suo concerto

LA TRAVIATA

**1853**

Giuseppe Verdi scrive *La traviata*

**1905**

Guglielmo Marconi inventa la radio

**ottobre 2011**

Elena Ferrante pubblica *L'amica geniale*

**2 giugno 1946**

l'Italia diventa una Repubblica

**5** **a** In the text of Activity C1 we find "è *già* diventato un appuntamento fisso". Study the position of adverbs in the table.

**Avverbi con il passato prossimo**

| | | | | | |
|---|---|---|---|---|---|
| Eugenio | | è | sempre | *stato* | gentile con me. |
| Rita, | | *hai* | già | *finito* | di studiare? |
| Gianluca | | è | appena | *uscito* | di casa. |
| Lei | *non* | *ha* | mai | *parlato* | di questa cosa. |
| Dora | *non* | è | ancora | *arrivata* | in ufficio. |
| Alfredo | *non* | *ha* | più | *detto* | niente. |

**5 b** **Now, choose the correct adverb.**

1. A Claudia non piace ballare. Non è mai / appena stata in una discoteca!
2. Federico non ha ancora / sempre preso la patente.
3. Ho mai / già chiamato il dottore: arriva fra 30 minuti.
4. Luca ha sempre / mai detto la verità.
5. Sono appena / più tornata da una lunga vacanza.
6. Non ho più / appena visto Luisa dopo la fine del liceo.

es. 12
p. 133

## D Per me, un panino.

**1** **Listen to the dialogue without reading the text and put the illustrations in the correct order.**

*Nadia:* Allora? Cosa prendiamo? Io un caffè.
*Claudio:* Non so... io ho un po' di fame. ...Scusi, possiamo avere il listino?
*cameriere:* Ecco a voi!
*Claudio:* Grazie! Vediamo...
*Silvia:* Io so già cosa prendo... vorrei un tramezzino e una fetta di torta al cioccolato.
*Nadia:* Ma come?! Hai fame a quest'ora?!
*Silvia:* Sì, non ho potuto pranzare oggi. Tu, Claudio... hai deciso?
*Claudio:* Mah, non so... prendo anch'io un tramezzino. No, anzi, meglio se prendo un cornetto...
*cameriere:* Allora, cosa prendete? Avete già deciso?
*Nadia:* Sì, dunque... un tramezzino...
*Silvia:* Prosciutto e formaggio.
*Nadia:* ...e una fetta di torta al cioccolato per lei, un caffè macchiato per me e una bottiglia di acqua minerale naturale. Claudio, tu alla fine cosa prendi?
*Claudio:* Per me, un panino con prosciutto crudo e mozzarella e una lattina di Coca Cola.
*cameriere:* D'accordo, grazie!
*Silvia:* Claudio!? Certo che sei proprio un tipo deciso!

**2** **Listen to the dialogue again and answer the questions.**

a. Cosa hanno preso le due ragazze?

b. Cosa ha preso Claudio?

**3** In pairs, read the dialogue on page 66 and the menu below. How much did Claudio, Silvio, and Nadia pay?

*caffè*

| | |
|---|---|
| caffè | 1,10 |
| caffè corretto | 1,30 |
| caffè decaffeinato | 1,30 |
| cappuccino | 1,50 |
| caffellatte - latte | 1,50 |
| tè - tisane | 2,00 |
| cioccolata in tazza - con panna | 2,70 |
| tè freddo | 2,70 |

*panini - tramezzini*

| | |
|---|---|
| panino: crudo & mozzarella | 5,20 |
| panino: pomodoro & mozzarella | 5,20 |
| tramezzini | 1,50 |
| toast | 4,00 |
| pizzette | 2,00 |

*aperitivi*

| | |
|---|---|
| analcolico | 3,50 |
| spritz | 4,00 |

*bibite*

| | |
|---|---|
| bibite in lattina | 3,00 |
| bibite in bottiglia | 3,00 |
| spremuta d'arancia | 3,50 |
| succhi di frutta | 2,50 |
| birra alla spina piccola | 3,30 |
| birra alla spina media | 5,20 |
| acqua bottiglia piccola | 1,50 |
| acqua bottiglia grande | 2,50 |

*dolci - gelati*

| | |
|---|---|
| cornetto | 1,50 |
| torta al cioccolato | 3,00 |
| tiramisù | 4,00 |
| panna cotta | 3,00 |
| coppetta gelato | 2,00/4,00 |

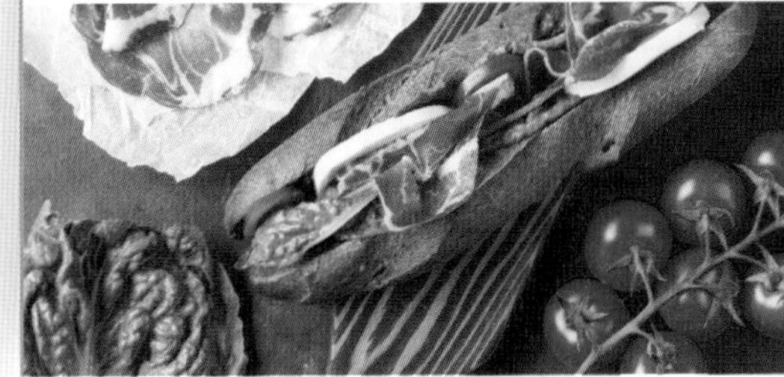

**4** Referring to the menu above and the table below, act out a dialogue between two people who enter a coffee shop and decide to get something to eat and drink.

**Ordinare**

| | |
|---|---|
| *Cosa prendi?*<br>*Cosa prendiamo?*<br>*Vuoi bere qualcosa?* | *Per me un... / Io prendo...*<br>*Preferisco il tè al caffè...*<br>*Io ho fame: vorrei un panino...*<br>*Ho sete: vorrei bere qualcosa...* |

es. 13-14 p. 133

**5** Study and complete the table with: *sono, ha, ho, sei, ho, è*.

**Passato prossimo dei verbi modali**

| | | |
|---|---|---|
| Non ............ preso il caffè. | → | Non ho voluto prendere il caffè. |
| Perché sei venuto in questo bar? | → | Perché ............ voluto venire in questo bar? |
| Non ho pranzato oggi. | → | Non ............ potuto pranzare oggi. |
| Ieri ............ andato alla festa di Luigi. | → | Ieri sono potuto andare alla festa di Luigi. |
| Irene ............ fatto la spesa. | → | Irene ha dovuto fare la spesa. |
| Irene è partita da sola. | → | Irene ............ dovuta partire da sola. |

**When do we use the verb *avere* and when do we use the verb *essere* with modal verbs? Refer to the *Approfondimento grammaticale* on page 168.**

**6** **Read the sentences and conjugate the verbs correctly, as in the example.**

Ieri (io, *dovere lavorare*) molte ore. → *Ieri, ho dovuto lavorare molte ore.*

1. Non (io, *volere comprare*) una macchina di seconda mano.
2. Alla fine, (noi, *dovere tornare*) a casa da sole.
3. Signora Pertini, come (*potere mandare*) una mail così scortese?
4. Daniele, anche se molto stanco, (*volere continuare*) a giocare.
5. Maurizio non (*potere partire*) a causa di uno sciopero.

es. 16-17
p. 135

## E Abilità

**1** **Ascolto Workbook (p. 134)**

**2** **Parliamo**

1. Vi piace il caffè? Qual è il vostro caffè preferito? Quanti caffè bevete al giorno e quando?
2. Quanti tipi di caffè conoscete? Potete spiegare le differenze che ci sono?
3. Nel vostro Paese, quanto costa un caffè al bar?

es. 15, 18-21
p. 136

**3** **Scriviamo**

**Write an email to an Italian friend: greet him/her and describe how you spent the weekend.**

p. 90

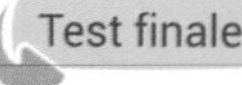
Test finale

# Come hai passato il fine settimana?

**Read the text and mark the correct statements.**

**Con questa domanda inizia il lunedì in ufficio o a scuola. Cosa fanno gli italiani il sabato e la domenica e che cosa raccontano ai colleghi?**

Il sabato, di solito, fanno la spesa* e spesso fanno tardi perché la domenica possono dormire di più: escono per bere un aperitivo, per cenare al ristorante, per andare a ballare.

La domenica è il giorno che gli italiani dedicano alla casa o agli interessi personali: fare sport, leggere un libro, guardare la tv, usare i social media, stare con gli amici. Per molti la domenica è anche il giorno per fare una gita, al mare o in montagna, o per visitare un museo o una città d'arte*.

Ma che cosa raccontano gli italiani ai loro colleghi? Secondo una ricerca di *lastminute.com* gli italiani non dicono sempre la verità! Infatti, a volte preferiscono raccontare ai colleghi cose che non hanno fatto per avere qualcosa da dire il lunedì mattina o perché, secondo loro, fanno sempre le "solite cose".

**Glossario.** *fare la spesa*: comprare prodotti al supermercato; ***città d'arte***: città che ha molti monumenti e musei.

1. Per gli italiani il fine settimana è un'occasione per
   - [ ] a. finire un lavoro in ufficio.
   - [ ] b. vedere gli amici.
   - [ ] c. fare un viaggio all'estero.

2. La domenica, gli italiani
   - [ ] a. guardano la tv o leggono un libro.
   - [ ] b. fanno una gita e puliscono la casa.
   - [ ] c. fanno sport o vanno a ballare.

3. Il lunedì mattina, gli italiani quando parlano con i colleghi di quello che hanno fatto nel weekend
   - [ ] a. non dicono mai la verità.
   - [ ] b. dicono sempre la verità.
   - [ ] c. non dicono sempre la verità.

# Il bar italiano

Sono molti gli italiani che ogni giorno entrano in un bar. Alcuni prendono solo un caffè al banco e, prima di ordinare, "fanno lo scontrino", cioè vanno alla cassa a pagare. Altri rimangono un po' di più perché fanno colazione con cappuccino e cornetto. Altri ancora mangiano un'insalata durante la pausa pranzo, prendono un dolce e un caffè nel pomeriggio, bevono un aperitivo con gli amici prima di cena.

I bar sono accoglienti* e pieni di vita: sono il luogo d'incontro* delle persone. Quelli in piazza sono ancora più belli: se c'è il sole, i tavolini sono pieni di clienti*.

# "Un caffè!"

Con la parola "caffè" gli italiani si riferiscono quasi sempre all'espresso o al caffè fatto a casa con la moka.

La moka è la caffettiera del 1933 di Alfonso Bialetti: un esempio di design industriale italiano, presente al museo di arte contemporanea di New York.
Nei primi anni del '900, con l'invenzione della macchina per il caffè da bar, il caffè espresso (nome che sottolinea la velocità nella preparazione, ma anche nella... consumazione) diventa un simbolo dell'Italia.

Oltre all'espresso, esistono vari tipi di caffè: **macchiato** (con poco latte), **lungo** (tazzina quasi piena, sapore più leggero); **ristretto** (meno acqua, sapore forte); **corretto** (con un po' di liquore). Inoltre, a casa gli italiani fanno spesso colazione con il **caffellatte** (latte caldo e pochissimo caffè).

L'altra bevanda italiana famosa nel mondo è il **cappuccino**, che ha preso il nome dal colore degli abiti dei frati cappuccini. Un consiglio: dopo pranzo chiedete un espresso e non un cappuccino... che in Italia beviamo soltanto la mattina!

# Caffè, che passione!

**Read the infographic and complete the table, as in the example.**

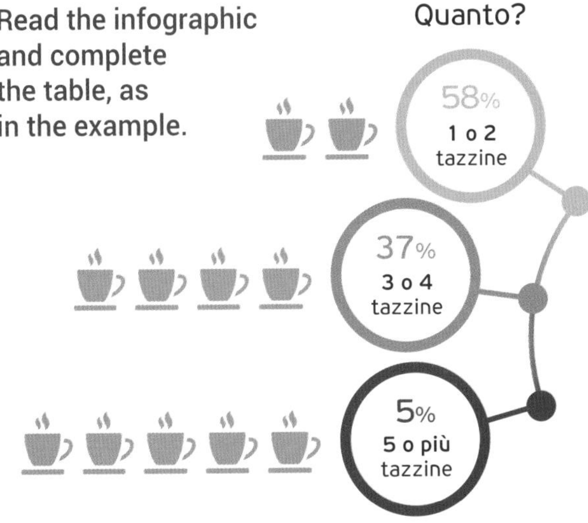

## I numeri del caffè

Il .................. degli italiani beve una tazzina di caffè al giorno.
Il .................. degli italiani prende il caffè nel pomeriggio.
Il .................. degli italiani beve tre tazzine di caffè al giorno.
Il ...77%... degli italiani beve il caffè appena si sveglia.
Il .................. degli italiani beve cinque tazzine di caffè al giorno.
Il .................. degli italiani prende il caffè anche dopo cena.
Il .................. degli italiani beve il caffè anche di notte.
Il .................. degli italiani prende il caffè a metà mattina.

**Glossario.** ***accogliente***: piacevole, confortevole; ***luogo d'incontro***: posto dove le persone vanno per parlare, comunicare, socializzare e, in questo caso, anche per bere qualcosa; ***cliente***: persona che compra un prodotto o un servizio.

# AUTOVALUTAZIONE

## What do you remember from Units 3 and 4?

**1** *Sai...?* **Match the two columns.**

| | | |
|---|---|---|
| 1. esprimere incertezza | ☐ | a. *Un cornetto, per favore.* |
| 2. ordinare al bar | ☐ | b. *Sono nato nel 1998.* |
| 3. dire una data | ☐ | c. *È in salotto, sul tavolino.* |
| 4. localizzare nello spazio | ☐ | d. *All'inizio siamo andati a mangiare, poi...* |
| 5. raccontare | ☐ | e. *Mah... non sono sicuro.* |

**2 Match the questions with the answers.**

| | | |
|---|---|---|
| 1. Quando sei venuto in Italia? | ☐ | a. *Per me un caffè lungo, grazie.* |
| 2. Scusi, quanto costa? | ☐ | b. *Ma figurati!* |
| 3. Cosa prendi? | ☐ | c. *Posso parlare con Marco?* |
| 4. Pronto? | ☐ | d. *Nel maggio scorso.* |
| 5. Grazie mille! | ☐ | e. *Con lo sconto, 90 euro.* |

**3 Complete.**

1. Due tipi di caffè espresso: .................... ....................
2. In genere non si beve dopo un pasto: ....................
3. Il participio passato del verbo *bere*: ....................
4. Il passato prossimo di *rimanere* (prima persona singolare): ....................
5. L'ausiliare di molti verbi di movimento: ....................

**4 Find, vertically and horizontally, the eight hidden words.**

| | | | | | | | | | |
|---|---|---|---|---|---|---|---|---|---|
| E | S | U | C | C | E | S | S | O | T |
| T | O | L | I | P | E | T | B | L | A |
| T | P | I | A | Z | Z | A | E | E | V |
| Y | R | S | G | I | U | G | N | O | O |
| N | A | T | T | U | F | E | T | A | L |
| A | T | I | R | E | Z | L | O | S | I |
| P | A | N | I | N | O | D | U | M | N |
| U | V | O | G | E | L | A | T | I | O |

Check your answers on page 92.
*Sei soddisfatto/a*?

Piazza di Spagna, Roma

## Per cominciare...

**1** Discover your ideal vacation with this quiz: answer the questions and read the results.

1 Preferisco:
- a. fare shopping
- b. camminare
- c. prendere il sole

2 Amo viaggiare:
- a. in coppia
- b. in gruppo
- c. da solo

3 In vacanza preferisco:
- a. visitare un museo
- b. passeggiare nella natura
- c. dormire

4 Preferisco viaggiare in:
- a. autunno-inverno
- b. primavera
- c. estate

5 Preferisco prendere:
- a. l'aereo
- b. la nave
- c. la macchina

6 In valigia porto sempre:
- a. le scarpe eleganti
- b. un ombrello
- c. gli occhiali da sole

7 Preferisco dormire in:
- a. hotel
- b. campeggio
- c. appartamento

**Più risposte A:** *ami le città d'arte, visitare musei e scoprire nuovi Paesi.*
**Più risposte B:** *ti piace l'avventura. La tua vacanza ideale è in montagna con gli amici.*
**Più risposte C:** *vacanza per te significa relax al mare e in solitudine!*

**2** Compare your results with your classmates and find out their ideal vacation.

**3** Listen to the dialogue and circle the names of the cities you hear.

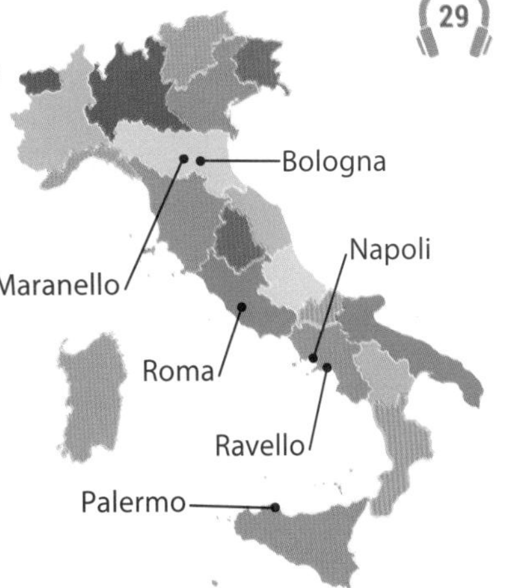

**4** Listen to the dialogue again and mark the statements as true (V) or false (F). Correct the false sentences aloud.

| | V | F |
|---|---|---|
| 1. Gianna incontra Federica all'aeroporto. | | |
| 2. Federica farà un viaggio in Lombardia. | | |
| 3. Gianna va a trovare sua cugina. | | |
| 4. Gianna non sa cosa farà a Capodanno. | | |

**In this unit, we will learn:**

- *to make plans, predictions, promises, and hypotheses, and to express doubts*
- *vocabulary related to train travel*
- *vocabulary related to weather forecasts*
- *Italian holidays*
- *the simple future: regular and irregular verbs*
- *the future perfect*
- *hypothetical phrases (1st type)*
- *what Italians do for Christmas*
- *which types of trains exist in Italy*

## A A Capodanno cosa farete?

**1** Read the dialogue to check your answers to the previous activity.

*impiegata:* Buongiorno, un documento per favore.
*Gianna:* Ecco qui.
*impiegata:* Grazie. Quanti bagagli?
*Gianna:* Una valigia e un bagaglio a mano.
*impiegata:* Perfetto... Questa è la sua carta d'imbarco. L'imbarco è alle 12, uscita C21. Buon viaggio!
*Gianna:* Grazie.
...
*Federica:* Gianna?
*Gianna:* Ehi, ciao Federica, anche tu in partenza?
*Federica:* Eh, sì, vado a Napoli.
*Gianna:* Da parenti?
*Federica:* No, starò tre giorni da un'amica. Poi prenderemo insieme il treno per Bologna per festeggiare il Capodanno con la sua famiglia.
*Gianna:* Ah, e quando torni?
*Federica:* Dopo l'Epifania. Partirò da Bologna il 7 gennaio e passerò da Maranello: voglio andare al Museo Ferrari!
*Gianna:* Ah, che bello!
*Federica:* E tu, invece?
*Gianna:* Io vado a Palermo a trovare mio fratello. Per Natale verranno anche i miei genitori.
*Federica:* Bene... e a Capodanno cosa farete?
*Gianna:* Mah, probabilmente festeggeremo con gli amici di mio fratello in un ristorante. Scusa un secondo... ah bene, la mia uscita è cambiata, devo andare alla C2. Allora, buon viaggio e buone feste!
*Gianna:* Grazie, anche a te!

Palermo

Bologna

**2** Work in groups of three and read the dialogue. One of you will read the part of Gianna, and the others will read the parts of Federica and the agent. Then, answer the following questions:

1. Come festeggerà Federica il Capodanno?
2. Quando tornerà Federica dalle vacanze?
3. Con chi passerà il Natale Gianna?
4. Dove andrà Gianna a Capodanno?

**3** Work in pairs.
Read the sentence on the right.

*Starò tre giorni da un'amica. Poi prenderemo insieme il treno per Bologna.*

In your opinion, the verbs in blue indicate an action in the...

☐ past ☐ present ☐ future

**4** Carlo calls Gianna. Complete the dialogue with the verbs provided below, as in the example in blue.

*preparerà* ✖ *partirà* ✖ *saremo* ✖ *arriverai* ✖ *verranno* ✖ *verrà*

*Gianna:* Pronto? Ciao Carlo! Sì, sono già all'aeroporto. L'aereo .................. (1) tra un'ora.

*Carlo:* Va bene. A che ora .................. (2) a Palermo?

*Gianna:* Alle 14.00.

*Carlo:* Perfetto. Io purtroppo lavoro tutto il pomeriggio, quindi in aeroporto ....*verrà*.... (3) Silvia, va bene?

*Gianna:* Certo.

*Carlo:* Ah, senti... Abbiamo visto un ristorante molto carino, che a Capodanno .................. (4) un menù speciale per il Cenone. Prenotiamo?

*Gianna:* Per me va bene. .................. (5) solo io, tu e Silvia?

*Carlo:* No, .................. (6) anche Luca e Francesca.

**5** Re-read the dialogue on page 74 and write what Federica and Gianna will do during the holidays.

........................................................................................................................

........................................................................................................................

........................................................................................................................

........................................................................................................................

........................................................................................................................

........................................................................................................................

**6** Find the verbs in the dialogue in A1 and complete the table.

**Futuro semplice**

| | passare | prendere | partire |
|---|---|---|---|
| io | .............................. | prenderò | .............................. |
| tu | passerai | prenderai | partirai |
| lui, lei, Lei | passerà | prenderà | partirà |
| noi | passeremo | .................................. | partiremo |
| voi | passerete | prenderete | partirete |
| loro | passeranno | prenderanno | partiranno |

**7** Conjugate the verbs in parentheses in the future and answer the questions, as in the example.

A che ora (tu, *uscire*) di casa domani?
➜ – *A che ora uscirai di casa domani?*
– *Domani uscirò...*

1. (tu, *festeggiare*) il Capodanno con gli amici?
2. Quando (*iniziare*) le vacanze di Natale quest'anno?
3. Secondo te, domani (noi, *vincere*)?
4. Che cosa (tu, *preparare*) per cena stasera?
5. A che ora (*finire*) la lezione di italiano?
6. Per Natale (voi, *partire*) o (voi, *passare*) le feste a casa?

**8** In pairs, complete the table.

**Futuro semplice**
**Verbi irregolari**

| essere | avere | stare | andare | fare |
|---|---|---|---|---|
| sarò | avrò | starò | andrò | farò |
| sarai | avrai | starai | .............................. | farai |
| sarà | avrà | .............................. | andrà | farà |
| .............................. | avremo | staremo | andremo | faremo |
| sarete | avrete | starete | andrete | .............................. |
| saranno | .............................. | staranno | andranno | faranno |

*Other irregular verbs in the future are listed in the* Approfondimento grammaticale *on page 169.*

**9** On a sheet of paper, write down the infinitive forms of one of the verbs listed on pages 75-76. Give the sheet to a classmate. He/she will write a sentence using the verb in the future and read it to the class. Then, compare your responses.

*andare* — *Andrai alla festa di Lorenzo?*

es. 1-5 p. 139

**10** Match the vignettes (a-d) with the sentences below (1-4) that express the same function of the future, as in the example in blue.

1. Quest'anno cercherò un nuovo lavoro! c
2. Secondo me, stasera pioverà! ☐
3. • Che ore sono? • Saranno le 2.00. ☐
4. Sì, mamma, andrò a letto presto. ☐

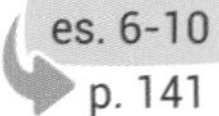

es. 6-10 p. 141

## B Viaggiare in treno

**1** Study the train ticket and answer the questions.

1. Da dove parte il treno? E dove arriva?
2. Quale giorno parte il treno? A che ora?
3. A che ora arriva?
4. Quante persone viaggiano?
5. Quanto costa il biglietto?

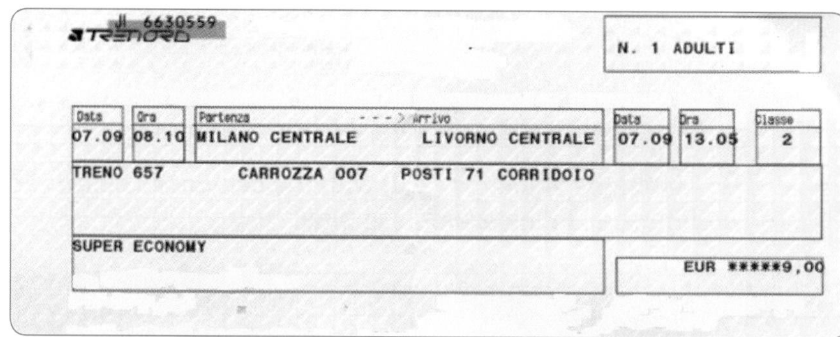
TRENORD 6630559

N. 1 ADULTI

| Data | Ora | Partenza ---> Arrivo | | Data | Ora | Classe |
|---|---|---|---|---|---|---|
| 07.09 | 08.10 | MILANO CENTRALE | LIVORNO CENTRALE | 07.09 | 13.05 | 2 |

TRENO 657 CARROZZA 007 POSTI 71 CORRIDOIO

SUPER ECONOMY

EUR *****9,00

**2** **a** Look at the images below and write the words provided in the blank spaces.

*biglietteria* ⁎ *controllore* ⁎ *viaggiatori* ⁎ *binario* ⁎ *posti* ⁎ *carrozza*

**b** Listen and match the dialogues with the photos.
Note: there is one extra photo.

..................................

..................................

..................................

..................................

..................................

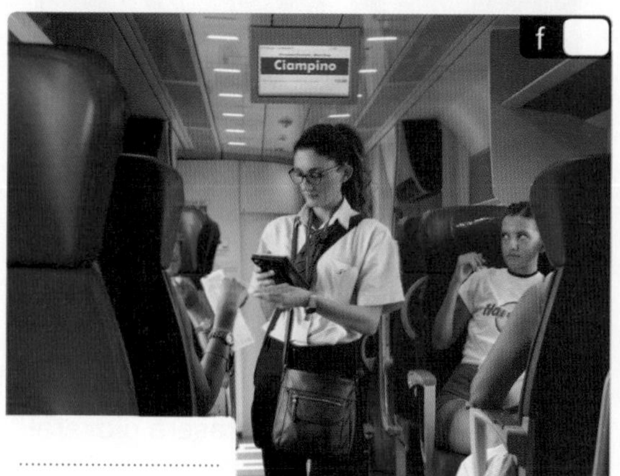


..................................

**3** Now, read the dialogues and check your answers.

1. • A che ora parte il prossimo treno per Firenze?
   • Parte tra 20 minuti con cambio a Empoli. Alle 16.00, invece, c'è il diretto.
   • Bene. Un biglietto per il treno delle 16.00.
   • Andata e ritorno?
   • No, solo andata. Quant'è?
   • Sono 7 euro e 50 centesimi.

2. • Attenzione! Il treno Frecciarossa 9456, proveniente da Roma e diretto a Milano è in arrivo al binario 8 anziché 12.

3. • Biglietto, per favore...
   • Ecco!
   • Grazie!

4. • Scusi, questa è la seconda classe, vero?
   • Sì, è la seconda.
   • È libero questo posto?
   • Certo! Prego.
   • Grazie.

5. • Scusi, è questo il treno per Firenze?
   • Sì, signora, è questo.
   • Sa dov'è la carrozza 11?
   • No, forse è in fondo al treno.
   • Grazie mille!

*Stazione Centrale*, Milano

**4** Work in pairs. Underline, in the previous dialogues, words and sentences used:
- to ask for information about the schedule and destination of a train;
- to purchase a ticket;
- to provide information about the schedule and destination of a train.

**5** Complete the short dialogues.

1. • Un biglietto per Venezia, per favore.
   • ...............................................
   • No, solo andata. Quant'è?
   • ...............................................

2. • ............................................... per Roma?
   • C'è un Regionale veloce alle 11.00.

3. • ...............................................
   • Fra mezz'ora.
   • ...............................................
   • Dal binario 6.

4. • Scusi, è questo il treno che va a Venezia?
   • ...............................................

**6** **Student *A*:** you are at the train station in Florence and want to take the next train to Rome. Ask the agent at the ticket office (Student *B*) for information about the schedule, price, platform number, etc. Then, pay for the ticket and thank the agent.

**Student *B*:** you are the agent of the ticket office. You must respond to all of Student *A*'s questions. You can consult the map on page 27.

es. 11-12 p. 143

## C In montagna

**1** **Nadia is leaving for a ski trip in the Alps and wants to leave her house keys with Simona. Read the dialogue and mark the correct statements.**

*Simona:* Pronto?
*Nadia:* Simona? Ciao, sono Nadia. Come va?
*Simona:* Ehi, ciao Nadia, tutto bene. Tu?
*Nadia:* Bene, grazie. Senti, purtroppo ieri non sono potuta passare dal tuo ufficio e quindi ho lasciato le chiavi a Marco.
*Simona:* Va benissimo. A che ora parti domani?
*Nadia:* Alle 17.00.
*Simona:* Ah, ma... avrai già finito di lavorare?
*Nadia:* Sì, sì, ho chiesto un'ora di permesso.
*Simona:* Ho capito. Allora adesso chiamo Marco per le chiavi. A quest'ora sarà tornato dalla palestra, no?
*Nadia:* Penso proprio di sì.

1. Nadia partirà dopo il lavoro. ☐
2. La casa di Nadia è vicino alla palestra. ☐
3. Simona chiamerà Marco per le chiavi. ☐

**2** **Study the table and complete the rule.**

**Futuro composto**

| | | |
|---|---|---|
| Nadia partirà | dopo che<br>(non) appena<br>quando | avrà finito di lavorare / sarò tornato / tornata<br>avranno finito di lavorare / saremo tornati / tornate |

| futuro composto | futuro semplice |
|---|---|
| Dopo che<br>*avrò finito* gli esami... | ...*farò* un viaggio |
| 1ª azione futura | 2ª azione futura |

We use the **future perfect** to describe a future action **that will occur before** another action in the ...

☐ past ☐ present ☐ future

**3** Which of these actions happens before and which happens after? Create sentences, as in the example.

prenotare un viaggio / prendere le ferie (Giulio, *dopo che*)
→ *Dopo che avrà preso le ferie, Giulio prenoterà un viaggio.*

1. andare in palestra / finire il lavoro (tu, *non appena*)
2. cucinare / fare la spesa (voi, *dopo che*)
3. finire di lavorare / tornare a casa (noi, *quando*)
4. andare a letto / guardare la tv (i bambini, *dopo che*)
5. decidere quale treno prendere / vedere gli orari (io, *non appena*)

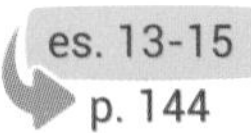
es. 13-15 p. 144

## D Che tempo farà domani?

31 **1** Listen to the dialogue and mark the correct statements.

1. Claudio ha dei dubbi sulla gita perché
   - a. è stanco
   - b. fa un po' freddo
   - c. tira vento
2. Secondo Valeria, il giorno dopo
   - a. pioverà
   - b. il cielo sarà nuvoloso
   - c. farà bel tempo
3. Claudio ricorda a Valeria che
   - a. sono andati al mare una settimana prima
   - b. pochi giorni prima è piovuto
   - c. fa troppo caldo
4. Alla fine decidono di
   - a. ascoltare le previsioni del tempo
   - b. fare la gita al mare
   - c. rinunciare alla gita

32 **2** Listen to the forecasts and indicate, as in the example in blue: a) what the weather will be like in various parts of Italy; b) the condition of the seas, winds, and temperatures.

Sud | Centro | Nord

a
sereno | variabile | nuvoloso | pioggia | temporale | neve | nebbia

b
mari: Adriatico e Tirreno: calmo | mosso | molto mosso
venti: deboli | moderati | forti
temperature: in diminuzione | stabili | in aumento

**3** Complete the table with the expressions related to the weather found in Activity D1.

**Che tempo fa? / Com'è il tempo?**

| | |
|---|---|
| *Il tempo è bello/brutto.*<br>*È sereno/nuvoloso.*<br>*C'è il sole / la nebbia / il vento.* | *Fa ................ / brutto tempo.*<br>*Fa caldo / Fa ................*<br>*Piove / Nevica / Tira ................* |

**4** In pairs, imagine that you want to go on a day trip. Observe the images with the weather forecast for the weekend and create a dialogue:

- talk about the weather;
- decide where to go, when, and with which mode of transportation;
- decide when and where you will meet.

Perché non andiamo a...?

Il tempo è/sarà...

Meglio andarci domenica perché...

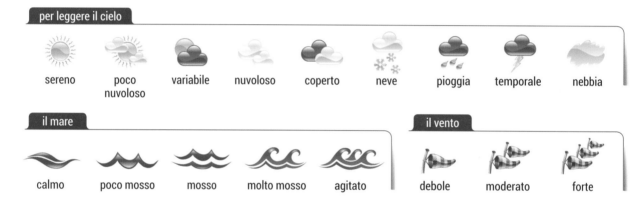

per leggere il cielo

 sereno
 poco nuvoloso
 variabile
 nuvoloso
 coperto
 neve
 pioggia
 temporale
 nebbia

il mare

 calmo
 poco mosso
 mosso
 molto mosso
 agitato

il vento

 debole
 moderato
 forte

sabato

domenica

es. 16 p. 145

## E Vocabolario e abilità

**1 a** Christmas crossword. Read the definitions and insert the words provided. Note: there are two extra words!

*presepe* ⁎ *bianca* ⁎ *negozi*
*Babbo Natale* ⁎ *albero* ⁎ *panettone*
*tombola* ⁎ *regali* ⁎ *Capodanno*

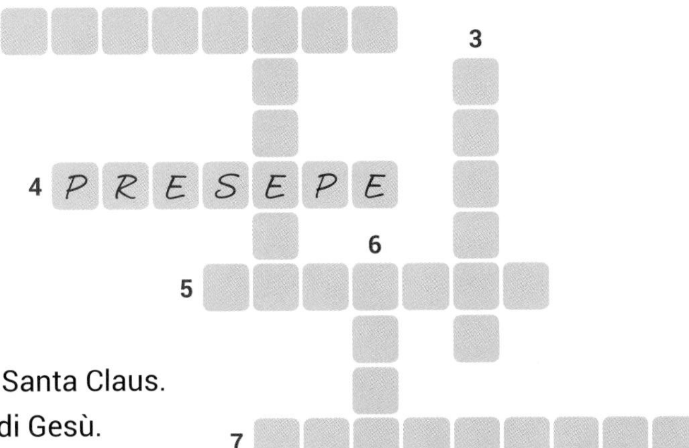


**Orizzontali**

1. In inglese si chiama Santa Claus.
4. Scena della nascita di Gesù.
5. Un gioco come il bingo.
7. Dolce tradizionale italiano del Natale.

**Verticali**

2. A Natale addobbiamo l'...
3. Ai bambini buoni Babbo Natale porta tanti...
6. Una settimana sulla neve è una settimana...

**b** Travel. Put the words into the correct category, as in the example in blue.

*passeggero* ⁎ *carrozza* ⁎ *stazione* ⁎ *uscita C2* ⁎ *bagaglio a mano* ⁎ *imbarco* ⁎ *volo*
*andata* ⁎ *posto* ⁎ *controllore* ⁎ *aeroporto* ⁎ *binario*

| Viaggio in treno | Viaggio in aereo | Viaggio in treno e in aereo |
|---|---|---|
| ..................... | ..................... | passeggero |
| ..................... | ..................... | ..................... |
| ..................... | ..................... | ..................... |
| ..................... | ..................... | ..................... |

**2 Parliamo**

1. Quali sono le feste più importanti nel vostro Paese?
2. Di solito, come passate il giorno di Natale? E cosa fate a Capodanno?
3. Raccontate come avete trascorso le ultime feste (quando, dove, con chi ecc.).
4. Parlate dei paesi che avete visitato. Quali volete visitare in futuro e perché?
5. Che tempo ha fatto ieri nella vostra città? Quali sono le previsioni per domani?

**3 Ascolto**

Workbook (p. 146)

es. 17-19 p. 146

80-100 **4 Scriviamo**

Imagine that you have received an invitation for winter break from a friend who lives in Perugia, but you cannot go. In your response, thank your friend, explain why you cannot accept the invitation, and describe your plans for the holidays.

p. 91 Test finale

# Natale: fra tradizione e curiosità

**1 Read the texts. Which tradition do you find most interesting?**

"Natale con i tuoi, Pasqua con chi vuoi" dice un proverbio* italiano. Infatti, il Natale in Italia è una festa da passare con la famiglia, la Pasqua con amici e conoscenti*. A Natale, in Italia è tradizione fare il presepe, e non solo in casa. Dal 1200, infatti, molte città organizzano il presepe vivente: gli abitanti del luogo ricreano la nascita di Gesù, interpretano artigiani* del passato e offrono cibo e bevande ai visitatori. Quello di Matera è tra i presepi viventi più belli.

Insieme al presepe, nelle case italiane è tradizione anche addobbare l'albero di Natale.

Bellissimo l'albero, regalo di un Paese straniero, in Piazza San Pietro a Roma.

In Via San Gregorio Armeno, a Napoli, troviamo le botteghe* degli artigiani con tutto quello che serve per fare il presepe.

Panettone, pandoro e torrone sono i dolci tipici natalizi, che gli italiani comprano al supermercato (se di produzione industriale) o in pasticceria (se fatti a mano).

Durante le feste i bambini aspettano l'arrivo di Babbo Natale che il 24 dicembre porta i doni*. In alcuni paesi del Nord Italia, però, i bambini ricevono i regali il 6 dicembre, giorno di San Nicola. In altre città, come Bergamo e Verona, i bambini scrivono una lettera con una lista di regali a Santa Lucia, il 13 dicembre.

Durante le feste natalizie, in molte piazze italiane troviamo i mercatini di Natale. Uno molto famoso per i suoi dolci tipici e per gli oggetti di artigianato è quello di Bolzano.

**2 Mark the information presented in the text.**

- [ ] 1. I presepi viventi di San Pietro sono molto famosi.
- [ ] 2. Ogni regione italiana ha un mercatino natalizio.
- [ ] 3. Al mercatino di Bolzano è possibile comprare dolci tipici.
- [ ] 4. Il 24 dicembre Babbo Natale porta i doni ai bambini.
- [ ] 5. Il Natale è un'occasione per stare con la famiglia.
- [ ] 6. Il panettone e il pandoro sono dolci natalizi.

**Glossario.** *proverbio*: frase, detto che riassume l'esperienza di un popolo e insegna qualcosa; ***conoscente***: persona che conosciamo, ma che non è ancora nostra amica; ***artigiano***: persona che produce un oggetto con il proprio lavoro; ***bottega***: negozio e laboratorio dell'artigiano; ***dono***: regalo.

**3** Do a little research on one of the holidays listed below and fill out the form. Share the information you find with your classmates. You may also share images.

*Epifania* ⁕ *Capodanno* ⁕ *Pasqua* ⁕ *Carnevale* ⁕ *25 aprile* ⁕ *2 giugno*
*Ferragosto* ⁕ *Palio di Siena* ⁕ *Regata Storica*

**Espressioni utili**

- *Oggi vi presento il/la...*
- *Questa festa è il... di...*
- *Durante questa festa gli italiani...*

Nome della festa: ......................................
Giorno/mese: ......................................
Che cosa festeggiano gli italiani: ......................................
Che cosa fanno per la festa: ......................................
Piatti speciali/dolci: ......................................

## I treni in Italia

**1** Read the texts and provide short answers to the questions.

Gli italiani viaggiano spesso in treno per distanze sia brevi che lunghe. La rete ferroviaria italiana copre tutto il territorio nazionale e la qualità dei servizi* offerti è piuttosto alta. Ci sono treni e servizi per ogni esigenza.

**Treni ad Alta Velocità:** le ***Frecce*** sono i treni più rapidi, lussuosi e, naturalmente, più cari. Viaggiano a oltre 300 chilometri all'ora (Km/h) e collegano* le grandi città in tempi brevi. La prenotazione è obbligatoria*.

**Treni per il trasporto locale:** i ***Regionali*** collegano le piccole città all'interno della stessa regione o di regioni vicine. Si fermano in tutte le stazioni e offrono principalmente posti di seconda classe. Non hanno la velocità delle Frecce, ma sono comodi e hanno prezzi bassi.

Gli ***Intercity***, invece, coprono tutto il territorio nazionale e si fermano solo nelle principali città. Non sono però molto frequenti.

- È possibile fare i biglietti in stazione, alle macchinette automatiche o in biglietteria. Se non volete fare la fila*, potete fare il biglietto direttamente sul sito www.trenitalia.com.

1. Gli italiani viaggiano in treno?
2. Quali sono le differenze tra le Frecce e i Regionali?
3. Dove si può fare il biglietto?
4. Quale servizio offre Trenitalia?

**Glossario.** *servizio*: le attività che sono offerte o vendute; ***collegare***: unire, mettere in comunicazione; ***obbligatorio***: necessario, che bisogna fare; ***fare la fila***: quando le persone sono una dietro l'altra e aspettano il loro turno; ***agile***: facile e semplice da usare.

### Con Trenitalia alla scoperta del Patrimonio Mondiale dell'Unesco

Le bellezze del Patrimonio Mondiale dell'Umanità che è possibile raggiungere in treno sono in un agile* travel book di Trenitalia: con i servizi regionali di Trenitalia è possibile raggiungere ben 33 siti Unesco su 54 presenti nel territorio nazionale.

Una guida dettagliata delle 33 bellezze Unesco presenti da Nord a Sud del Belpaese da scoprire e ammirare grazie alla presenza di oltre 5mila collegamenti giornalieri del trasporto regionale e degli oltre 280 servizi quotidiani effettuati con le *Frecce* Trenitalia.

adattato da *www.fsitaliane.it*

## AUTOVALUTAZIONE

### What do you remember from Units 4 and 5?

**1** *Sai...?* Match the two columns.

1. fare previsioni
2. fare ipotesi
3. parlare del tempo
4. parlare di progetti
5. fare promesse

☐ a. *L'anno prossimo comprerò un nuovo computer.*
☐ b. *Vedrai che alla fine Silvia sposerà Carlo.*
☐ c. *Fa freddo oggi, vero?*
☐ d. *Anna? Non avrà più di 20 anni.*
☐ e. *Sarò a casa tua alle 9!*

**2** Match the sentences.

1. Un biglietto per Roma con l'Intercity.
2. Che tempo fa oggi da voi?
3. Offro io, cosa prendi?
4. Il treno va direttamente a Firenze?
5. Quando sei nato?

☐ a. *Brutto, molto brutto.*
☐ b. *No, bisogna cambiare a Bologna.*
☐ c. *Andata e ritorno?*
☐ d. *Il 3 aprile dell'89.*
☐ e. *Un caffè macchiato, grazie!*

**3** Complete.

1. Due tipi di treni: .................................... ....................................
2. Tre feste italiane: .................................... .................................... ....................................
3. Il passato prossimo di *prendere* (prima persona singolare): ....................................
4. Il futuro semplice di *venire* (prima persona singolare): ....................................
5. Il futuro composto di *partire* (prima persona singolare): ....................................

**4** In each group, find the word that does not belong.

1. pioggia | neve | vento | sole | ombrello
2. treno | aereo | aeroporto | nave | autobus
3. libri | caffè | gelati | dolci | panini
4. stazione | biglietteria | binario | prenotazione | panettone
5. Palio di Siena | Natale | Pasqua | Epifania | Ferragosto

*Le due torri*, Bologna

Check your answers on page 92.
*Sei soddisfatto/a*?

# Episodio - Un nuovo lavoro

## Per cominciare...

Study the images below. Then, read the words below and on page 15. Which words do you think will also appear in the video?

*collega* ⌘ *metro* ⌘ *giornale* ⌘ *centro* ⌘ *casa* ⌘ *carina* ⌘ *simpatica* ⌘ *macchina*

## Guardiamo

Watch the episode and match the lines to the images.

1. Arrivederci!
2. E tu, dove abiti, Gianna?
3. Ciao Michela, ci vediamo domani!
4. Buongiorno! Sei Gianna, no?

a ☐

b ☐

c ☐

d ☐

## Facciamo il punto

**1** In pairs, describe the two protagonists.

| | capelli | occhi | altro | |
|---|---|---|---|---|
| *Gianna* | ..................<br>.................. | .................. | ☐ alta<br>☐ allegra | ☐ bassa<br>☐ scortese |
| *Michela* | ..................<br>.................. | .................. | ☐ magra<br>☐ triste | ☐ grassa<br>☐ simpatica |

**2** Watch the last 20 seconds of the video again. With whom is Gianna speaking? What does she say?

# Episodio - Che bella casa!

## Per cominciare...

**1** In Unit 2, we find these words. Do you remember what they mean? Which ones have to do with the home?

*strumento* ⁕ *appartamento* ⁕ *biglietto* ⁕ *balcone* ⁕ *affitto* ⁕ *soggiorno*

**2** In pairs, watch the first 25 seconds of the episode. What do you think will happen next? How will it end?

## Guardiamo

**1** Watch the entire episode and check your hypotheses.

**2** What do the two protagonists say? Match the words with the images, as in the example in blue.

☐ disordine ☐ comoda a ☐ carino ☐ grande

## Facciamo il punto

**1** Put the lines in order and then write an L next to Lorenzo's lines and a G next to Gianna's, as in the example in blue. If necessary, watch the episode again.

☐ a. Senti, vuoi bere qualcosa?
1 b. L'ascensore è in fondo a destra!
☐ c. Non posso restare molto tempo. L
☐ d. Beviamo qualcosa fuori?
☐ e. Proprio bella la tua casa!
☐ f. Perfetto! Andiamo, allora.

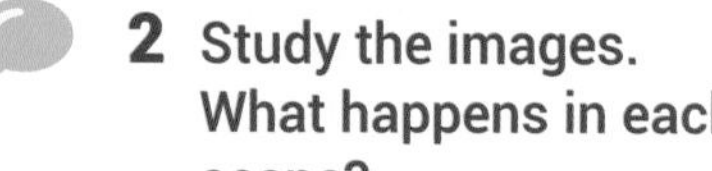

**2** Study the images. What happens in each scene?

**3** Which expressions (also found on page 33 of the textbook) do Lorenzo and Gianna use to extend and accept an invitation?

## Episodio - Un video da inviare

### Per cominciare...

Watch the first 35 seconds of the episode. Do you remember to whom Gianna needs to send the video? What video is it? Make some hypotheses.

### Guardiamo

**1** Watch the entire episode and check your answers.

**2** Study the images and put them in order.

b

Vado e torno fra due ore... Tu intanto cerchi.

### Facciamo il punto

**1** Study Lorenzo and Gianna's gestures and expressions. Match the sentences with the images, as in the example in blue.

4

- [3] a. Eccolo, vedi?
- [ ] b. No, qui al nuovo cinema, di fronte all'ufficio postale.
- [ ] c. Forse è molto pesante.
- [ ] d. Certo... almeno credo...

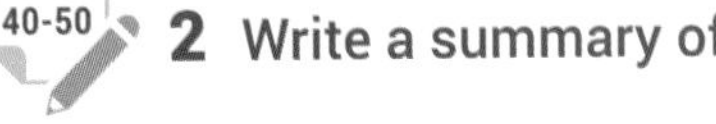

**2** Write a summary of the episode.

## Episodio - Una pausa al bar

### Per cominciare...

Watch the episode until minute 1:20. What do you think the waiter brings to Gianna and to Lorenzo?

### Guardiamo

**1** Watch the entire episode and check your hypotheses.

**2** Match the sentences with the images.

a. Ma hai già ordinato una spremuta!
b. Io vorrei una spremuta d'arancia.
c. No, io ho ordinato solo il tiramisù! Che confusione!
d. Ho capito. Allora, ripeto: per la signora...

### Facciamo il punto

**1** Answer the questions.

1. Perché Gianna non ha fame?
2. Perché poi cambia idea e ordina da mangiare?
3. Come vuole il caffè Lorenzo?
4. Perché il cameriere ha sbagliato le ordinazioni?

**2** In pairs, study the menu of the coffee shop on page 67. Based on the (incorrect!) orders brought by the waiter, how much do Gianna and Lorenzo owe altogether?

## Episodio - Facciamo l'albero di Natale?

### Per cominciare...

We know that Gianna will go to visit her brother in Palermo. How do you think Lorenzo will spend the holidays?

### Guardiamo

**1** Watch the episode and check your hypotheses.

**2** In pairs, match the sentences with the images. Then, indicate the correct sequence.

a. Senti, non ho ancora trovato tutti gli addobbi.
b. • Ah, pure il presepe?
 • Eh, sì, mi è sempre piaciuto, sai, fin da bambino.
c. • Grazie per l'aiuto!
 • Figurati, mi piace fare l'albero di Natale.
d. Ma abbiamo già finito?!

### Facciamo il punto

**1** Answer the questions.

1. Lorenzo probabilmente viaggerà
   - ☐ a. con 4 amici
   - ☐ b. con 2 amici
   - ☐ c. con la famiglia
2. Lorenzo andrà
   - ☐ a. sulle Dolomiti
   - ☐ b. in Molise
   - ☐ c. sul Lago Maggiore
3. Lorenzo prenderà
   - ☐ a. la macchina e l'autobus
   - ☐ b. il treno e la macchina
   - ☐ c. il treno e l'autobus

50-60 **2** Write a summary of the episode.

**Unità introduttiva**

1. 1. b, 2. d, 3. c, 4. a
2. 1. La, 2. sono, 3. ha, 4. Il, 5. ha, 6. Gli
3. 1. le finestre aperte, 2. gli sport americani, 3. la ragazza alta, 4. la casa nuova, 5. i libri italiani, 6. la borsa piccola

**Unità 1**

1. 1. a, 2. c, 3. e, 4. b, 5. d
2. 1. b, 2. e, 3. d, 4. c, 5. a
3. 1. basso, 2. *guardate la cartina a pagina 27*, 3. capisci, 4. avete
4. naso, trenta, testa, biondo, minuti, sedici

**Unità 2**

1. 1. b, 2. e, 3. d, 4. c, 5. a
2. 1. c, 2. e, 3. a, 4. b, 5. d
3. 1. per, da, in, a...; 2. venerdì; 3. settimo; 4. voglio; 5. facciamo
4. **Orizzontale:** sesto, occhio, affitto, duemila, comodo; **Verticale:** vengo

**Unità 3**

1. 1. d, 2. b, 3. c, 4. e, 5. a
2. 1. d, 2. c, 3. e, 4. b, 5. a
3. 1. autobus, metro...; 2. gennaio; 3. sopra; 4. tengo; 5. vogliamo
4. 1. festa, 2. intorno, 3. mezzogiorno, 4. mittente, 5. soggiorno

**Unità 4**

1. 1. e, 2. a, 3. b, 4. c, 5. d
2. 1. d, 2. e, 3. a, 4. c, 5. b
3. 1. macchiato, ristretto...; 2. il cappuccino; 3. bevuto; 4. sono rimasto/a; 5. essere
4. **Orizzontale:** successo, piazza, giugno, panino, gelati; **Verticale:** sopra, listino, tavolino

**Unità 5**

1. 1. b, 2. d, 3. c, 4. a, 5. e
2. 1. c, 2. a, 3. e, 4. b, 5. d
3. 1. Intercity, Freccia...; 2. Natale, Capodanno, Pasqua...; 3. ho preso; 4. verrò; 5. sarò partito/a
4. 1. ombrello, 2. aeroporto, 3. libri, 4. panettone, 5. Palio di Siena

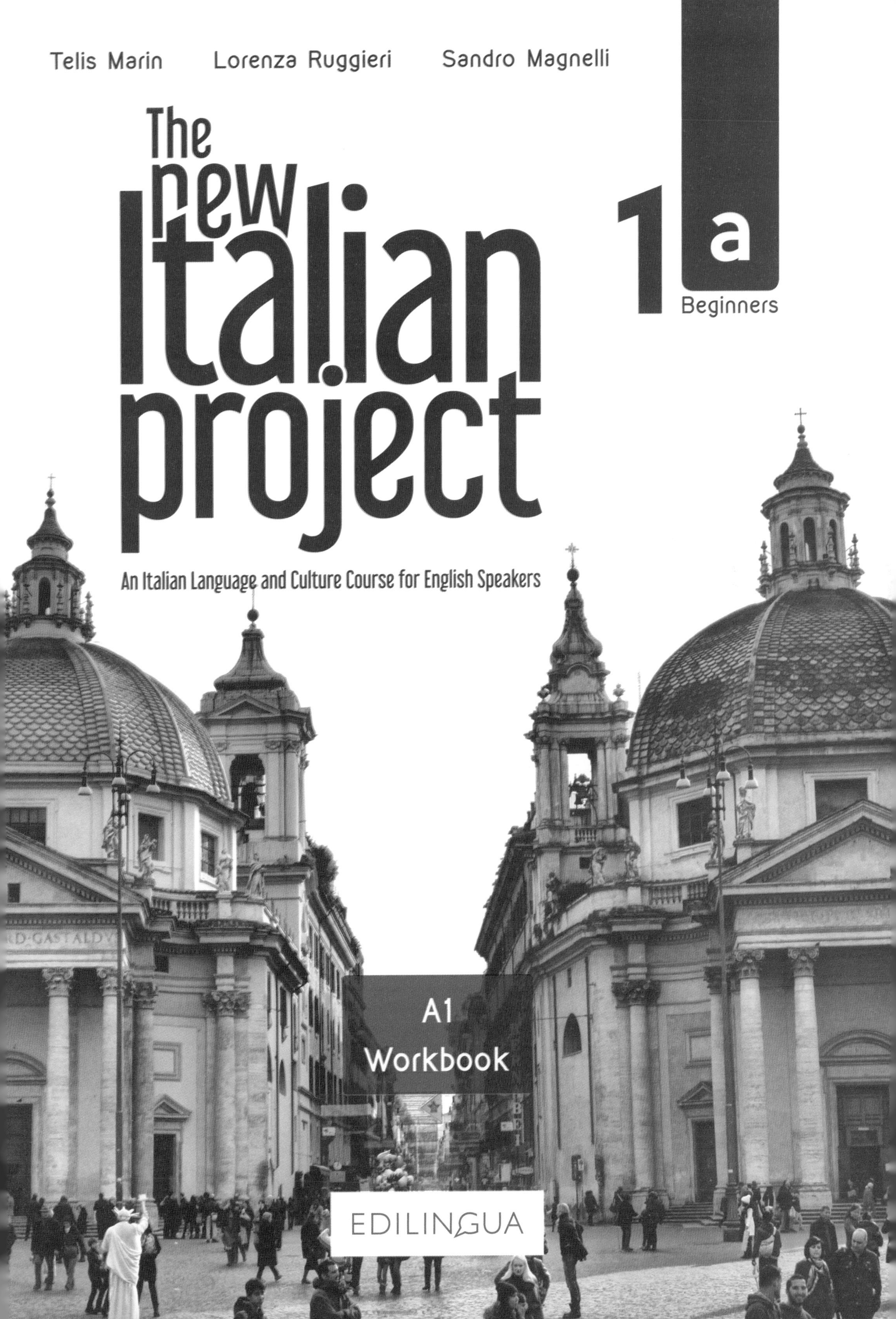

Telis Marin
Lorenza Ruggieri
Sandro Magnelli
The new Italian project
1a
Beginners
An Italian Language and Culture Course for English Speakers
A1
Workbook
EDILINGUA

All of the exercises are available in an interactive format at www.i-d-e-e.it

# Benvenuti!

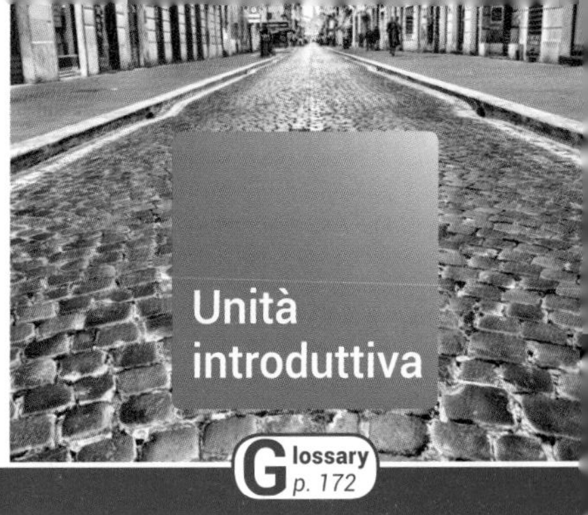


Glossary p. 172



**1 a** Masculine or feminine? Associate the nouns and adjectives with either Maria or Gino, as in the example.

| | | | |
|---|---|---|---|
| *Maria* | **ragazza** | | **ragazzo** |
| | **amica** | | **bella** |
| | **studente** | | **alto** |
| | **argentina** | | **italiano** |

**b** Choose the correct word, as in the example in blue. Refer also to the *Approfondimento grammaticale* on page 155 of the textbook.

1 
gatto | gatti

2 
casa | case

3 
chiave | chiavi

4 
medico | medici

5 
gelato | gelati

6 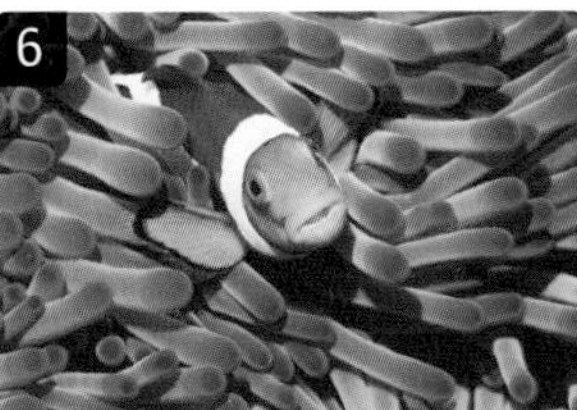
pesce | pesci

7 

ragazzo | ragazzi

8 
finestra | finestre

9 
cappuccino | cappuccini

10 
chitarra | chitarre

11 
gondola | gondole

**2 a** Write the plural form of the words, as in the example in blue.

1. lezione *lezioni*
2. studente ..........
3. giornale ..........
4. treno ..........

5. notte ..........
6. lettera ..........
7. porta ..........
8. libro ..........

**b** Write the plural form, as in the example.

1. casa nuova *case nuove*
2. libro aperto ..........
3. giornale italiano ..........
4. gelato piccolo ..........
5. borsa rossa ..........
6. studente americano ..........

**3** Pronunciation. Insert the words in the correct column, as in the example in blue.

*difficile* ♦ *lingua* ♦ *gondola* ♦ *giornale* ♦ *americano* ♦ *pagina* ♦ *ciao* ♦ *piccolo* ♦ *dieci*

| ... come caffè | ... come limoncello | ... come galleria | ... come gelato |
|---|---|---|---|
| | *difficile,* | | |

**4** Complete the matching activity, following the example.

1. Io *(b)*
2. Tu
3. Peter
4. Noi
5. Tu e John
6. Naomi e Osvaldo

a. è tedesco.
b. sono marocchino.
c. siete americani?
d. sono brasiliani.
e. sei spagnolo?
f. siamo australiane.

**5** Complete the sentences with the correct forms of the verb *essere*.

1. Voi .......... italiani?
2. Tu .......... argentino.
3. Noi .......... studenti.
4. Io .......... Giulia, piacere!
5. Maria .......... alta.
6. Le finestre .......... aperte.

**6** Write the correct singular article.

1. ............ calcio
2. ............ uscita
3. ............ stivale
4. ............ vestito
5. ............ pesce

6. ............ casa
7. ............ isola
8. ............ immagine
9. ............ aereo
10. ............ sport

**7** Complete the words with the correct article, as in the example in blue.

1 *il* gatto

2 ......... macchina

3 ......... zio

4 ......... chiavi

5 ......... arte

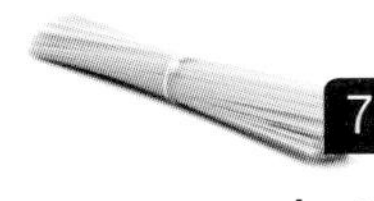

7 ......... spaghetti

6 ......... albero

8 ......... treni

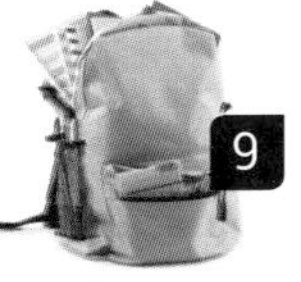

9 ......... zaino

10 ......... case

**8** Change the words to the singular or plural form, as in the example.

la casa ➔ *le case*

1. il ristorante ➔ ..............................
2. l'isola ➔ ..............................
3. .............................. ➔ gli zii
4. l'aereo ➔ ..............................
5. .............................. ➔ le finestre
6. .............................. ➔ le opere
7. la notte ➔ ..............................
8. il cappuccino ➔ ..............................

**9** **a** Change the words to the plural form. Refer also to the *Approfondimento grammaticale* on page 155 of the textbook.

1. il caffè ➔
2. la città ➔
3. il cinema ➔
4. l'auto ➔
5. lo sport ➔
6. il bar ➔
7. il problema ➔
8. il turista ➔
9. l'ipotesi ➔
10. la regista ➔

**b** Match the adjectives with the nouns and write the correct article.

1. ........ bariste
2. ........ caffè
3. ........ film
4. ........ turista
5. ........ città
6. ........ auto

ROSSE
ITALIANA
SPAGNOLO
GIOVANI
AMARI
NUOVI

**10 a** Study the images and create 6 sentences, as in the example in blue.

vestiti • Federica
ragazze • albero • casa
museo • studenti

1. *Federica è bella.*
2. ......................................................
3. ......................................................
4. ......................................................
5. ......................................................
6. ......................................................
7. ......................................................

bella • nuovi
italiane • moderna
aperto • alto • australiani

**b** Change the sentences from Exercise 10a from the singular to the plural, or vice versa, as in the example.

1. *Federica e Gabriella sono belle.*
2. ......................................................
3. ......................................................
4. ......................................................
5. ......................................................
6. ......................................................
7. ......................................................

**11** Complete the matching activity, following the example.

1. Tu (*c*)
2. Io
3. Maria e Gino
4. Noi
5. Carmen
6. Tu e Gloria

a. ha un fratello.
b. avete un amico americano.
c. hai una bella casa.
d. abbiamo una sorella.
e. ho un libro nuovo.
f. hanno un gatto.

**12** Complete the sentences with the correct forms of the verb *avere*.

1. Francesco è piccolo, .......................... 7 anni.
2. .......................... tu le chiavi?
3. Noi .......................... un problema.
4. Io .......................... due fratelli.
5. Gli zii .......................... una macchina nuova.
6. .......................... voi il giornale?

**13** Complete the sentences, as in the example.

Io *mi chiamo* Andrea.

1. Tu .............................. Maria?
2. Lui .............................. Piero.
3. Io .............................. Sabrina.
4. Il gatto .............................. Gigi.
5. Lei .............................. Lia.
6. E tu, come ..............................?

**14** **a** Read Mariella's profile and complete her introduction.

**Nome:** Mariella
**Cognome:** Console
**Nazionalità:** italiana
**Nata a:** Roma
**Età:** 19 anni

Ciao, ..............................
Mariella Console, sono
.................., di Roma,
.................. 19 anni.

**b** Complete the dialogue.

- Ciao, io .................. Matteo.
- .................., Matteo! Io sono Jane.
- Quanti .................. hai, Jane?
- Ho 24 .................. E tu?
- Io ho 27 anni. .................. americana?
- No, .................. inglese, .................. Liverpool.

# 1 Test finale

**A** Fill in the blue spaces with the correct forms of the verb *essere* and the red spaces with the verb *avere*.

Paolo ............. (1) italiano, ............. (2) di Napoli e .................... (3) 22 anni. Lui .................... (4) molti amici: Ana e Dolores ................ (5) spagnole e .................... (6) 21 anni; Jonathan .................... (7) australiano e .................... (8) 20 anni; Beatriz, Cristina e Vitória ................ (9) brasiliane e .................... (10) 22 anni.

**B** Choose the correct article.

....... (1) libro
a. la
b. il
c. lo

....... (2) stivale
a. la
b. lo
c. il

....... (3) latte
a. la
b. il
c. le

....... (4) casa
a. la
b. le
c. il

....... (5) aereo
a. il
b. lo
c. l'

....... (6) italiani
a. i
b. gli
c. l'

**C** Choose the correct plural form.

aereo ➔ ....... (1)
a. le aree
b. l'aerei
c. gli aerei

città ➔ ....... (2)
a. le città
b. i città
c. le citté

sport ➔ ....... (3)
a. i sport
b. le sport
c. gli sport

giornale ➔ ....... (4)
a. i giornali
b. le giornali
c. gli giornali

problema ➔ ....... (5)
a. i problema
b. li problemi
c. i problemi

zio ➔ ....... (6)
a. le zie
b. gli zii
c. gli zia

**D** Use the images to solve the crossword.

Risposte giuste: .......... /30

Giochi

All of the exercises are available in an interactive format at www.i-d-e-e.it

# Un nuovo inizio

Glossary p. 173



## 1 Complete the verbs.

1. • Maria, cosa guard.......? • Guardo un film di Fellini.
2. • Dove abiti? • Abit....... a Milano.
3. • Cosa ascolt.......? • Ascolto un CD di Marco Mengoni.
4. • A che ora parti domani? • Part....... alle sette.
5. • Che cosa scrivi? • Scriv....... una lettera.
6. • Dove lavori? • Lavor....... in un bar.
7. • Parl....... italiano? • No, non parlo italiano.
8. • Cosa leggi? • Legg....... il giornale.

Federico Fellini

## 2 Complete the sentences with the verbs provided.

*apre* • *lavora* • *parti* • *parla* • *ascolta* • *prende* • *arrivo* • *abita*

1. Il bar vicino a casa mia .................................... alle 6.
2. La mattina Luisa .................................... due caffè.
3. Mario, a che ora .................................... per Torino?
4. Marco .................................... tre lingue!
5. Gianna .................................... in un giornale.
6. Io .................................... a casa alle 5.
7. Giovanni .................................... musica straniera.
8. Giulia .................................... a Roma.

## 3 Choose the correct answer.

1. Roberto costruisce/costruite una nuova casa.
2. Oggi io e Marco finite/finiamo di lavorare alle 3.
3. Io pulisci/pulisco il bagno e tu pulisci/pulisce la cucina.
4. Aldo, quando spedisci/spediscono l'email?
5. Il film finisce/finisco tra dieci minuti.
6. Quando sono in metro preferisco/preferisce ascoltare musica.
7. Brigitte e Laura capite/capiscono molto bene l'italiano.
8. Laura, preferiamo/preferisci una pizza o un panino?

## 4 Complete the sentences with the correct form of the verbs.

1. Io .......................... (preferire) il vestito rosso, è più bello.
2. La lezione .......................... (finire) alle 11.
3. Francesco e io .......................... (prendere) il treno.
4. Marta .......................... (cucinare) molto bene.
5. Ragazzi, .......................... (aprire) le finestre, per favore?
6. Loro .......................... (lavorare) ogni giorno dalle 9 alle 18.
7. Lucien, .......................... (scrivere) bene in italiano! Complimenti!
8. Noi .......................... (parlare) lo spagnolo e .......................... (capire) un po' l'italiano.

## 5 Complete the short dialogues with the correct form of the verbs.

1. • Ciao ragazze. Cosa .......................... (prendere)?
   • Io .......................... (prendere) un caffè, Maria .......................... (prendere) un gelato.
2. • Giulia, parli l'inglese?
   • Sì, parlo l'inglese e .......................... (capire) anche il francese.
3. • Tu e Maria aprite un ristorante?
   • Sì, .......................... (aprire) un ristorante in centro.
4. • Luca, .......................... (offrire) io la pizza!
   • Grazie!
5. • A che ora .......................... (partire) il treno?
   • Alle 10:23.
6. • Ragazze, cosa mangiate?
   • .......................... (Mangiare) una pizza.
7. • Dove sono i ragazzi?
   • Sono qui, .......................... (leggere) un libro.
8. • Di dove siete?
   • Siamo di Firenze, ma .......................... (abitare) a Genova.

*Palazzo della Borsa in Piazza De Ferrari, Genova*

## 6 Complete the sentences, as in the example in blue.

La farmacia chiude alle sette.
Le farmacie ....*chiudono*.... alle sette.

1. Margaret capisce bene l'italiano.
   Margaret e Monique .......................... bene l'italiano.
2. Sara non prende l'autobus.
   Sara e Tiziana non .......................... l'autobus.

3. Francesca telefona a Sergio ogni giorno.
   Francesca e Piera .................................... a Sergio ogni giorno.
4. Andrea parla molto.
   Patrizia e Giovanna .................................... molto.
5. Gianni pulisce la casa ogni sabato.
   Gianni e Gigi .................................... la casa ogni sabato.
6. Aldo legge il *Corriere della Sera*.
   Aldo e Luisa .................................... il giornale.

**7** Change the sentences, as in the example.

Rispondo a tutte le domande.
Teresa *risponde a tutte le domande*.

1. Mangio al ristorante ogni giorno.
   Ragazzi, perché ....................................?
2. Comincio a lavorare alle 9 e finisco alle 2.
   Voi ....................................
3. Quando torno a casa, la sera, cucino.
   Tu ....................................?
4. Vivo in Italia da un anno, ma non capisco bene l'italiano.
   Marcelo ....................................
5. Quando ho tempo, preferisco leggere un libro.
   Noi ....................................

**8** Put the words in order to create sentences. Start with the highlighted words.

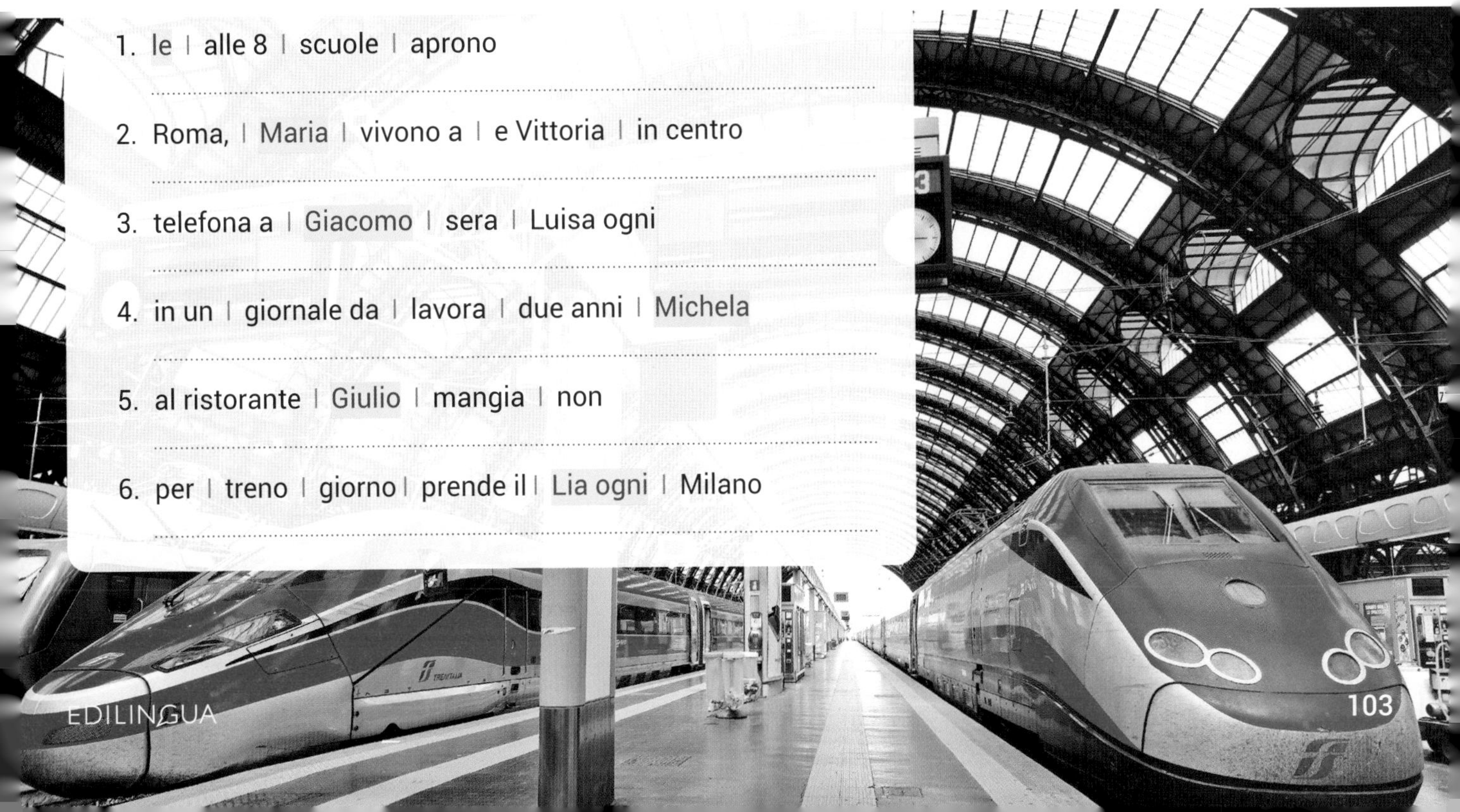

1. le | alle 8 | scuole | aprono
   ....................................
2. Roma, | Maria | vivono a | e Vittoria | in centro
   ....................................
3. telefona a | Giacomo | sera | Luisa ogni
   ....................................
4. in un | giornale da | lavora | due anni | Michela
   ....................................
5. al ristorante | Giulio | mangia | non
   ....................................
6. per | treno | giorno | prende il | Lia ogni | Milano
   ....................................

**9** Insert the indefinite article.

1. ................ amico italiano
2. ................ ragazza francese
3. ................ libro d'inglese
4. ................ sport interessante
5. ................ problema importante
6. ................ finestra aperta
7. ................ amica gentile
8. ................ zio simpatico

**10** Fill in the blue spaces with the correct forms of the verbs and the red spaces with the indefinite articles.

Ciao! Piacere, io sono Joseph, ................ (1) studente di italiano. ........................... (2. Studiare) l'italiano a Firenze, in ................ (3) scuola in centro. La scuola è molto bella e c'è anche ................ (4) bar. In classe noi ........................ (5. essere) sette studenti: io, Hamid, Juanita, Letícia, Lee, John e Nate, che ........................... (6. essere) due fratelli americani. Abbiamo ................ (7) insegnante molto simpatica, Marina. Lei ........................ (8. essere) italiana, di Napoli. Noi ........................... (9. abitare) tutti in centro.

**11** **a** Study the images and create 6 sentences, as in the example in blue.

*Valeria* ♦ *giardino* ♦ *amiche* ♦ *farmacia* ♦ *libro* ♦ *case* ♦ *studente*
*verde* ♦ *intelligente* ♦ *chiusa* ♦ *italiane* ♦ *bionda* ♦ *interessante* ♦ *piccole*

1

2

3

4

5

6

7

1. *Il giardino è verde.*
2. ..................
3. ..................
4. ..................
5. ..................
6. ..................
7. ..................

**b** Change the sentences from Exercise 11a from the singular to the plural, or vice versa, as in the example.

1. *I giardini sono verdi.*
2. ..................
3. ..................
4. ..................
5. ..................
6. ..................
7. Luisa e Valeria ..................

## 12 Complete the questions.

Giochi

1. Ciao, .................. ti chiami?
2. Di .................. sei?
3. .................. anni hai?
4. .................. abiti? In centro?
5. .................. musica ascolti?
6. Da .................. tempo studi l'italiano?

## 13 Write the questions.

1. • ..................
   • Abito in Italia, a Perugia.
2. • ..................
   • Sono in Italia per imparare la lingua.
3. • ..................
   • Mi chiamo Francesca.
4. • ..................
   • Ho vent'anni.
5. • ..................
   • No, Maria è spagnola, non brasiliana.
6. • ..................
   • Sì, sono brasiliana, di San Paolo.
7. • ..................
   • Sono di Napoli, ma abito a Roma.
8. • ..................
   • Prendi l'autobus numero 40.

**14** Change the sentences from the *tu* to the *Lei* form, or vice versa.

1. Scusi, per andare in centro? ..............................
2. Sei straniera, vero? ..............................
3. Ciao, come ti chiami? ..............................
4. Ciao Giulio, a domani. .............................., professore, a domani.
5. Gloria, dove abiti? Signor Casseri, ..............................
6. Signora, a che ora prende l'autobus? Claudio, ..............................

**15** Look at the photos and choose the correct adjective.

1. Chiara ha i capelli neri | rossi

2. Lucia ha 20 anni: è giovane | anziana

3. Valeria ha i capelli corti | lunghi

4. Mario è alto | basso

5. Rita è triste | allegra

6. Roberto Benigni è simpatico | antipatico

**16** Complete with *a*, *in*, *di*, *da*, *in*, *per*.

Ciao, mi chiamo Alicia e sono spagnola, .......... (1) Madrid. Sono .......... (2) Italia .......... (3) pochi giorni. Abito .......... (4) Perugia, .......... (5) via Rocchi. Sono qui .......... (6) imparare l'italiano all'Università per Stranieri.
I miei compagni sono molto simpatici e la sera mangiamo spesso insieme. Perugia è una città piccola, ma molto bella!

Perugia

**A** Insert the definite or indefinite articles.

Tommy è ............ (1) cane molto simpatico e intelligente. Vive a Pisa, in ............ (2) casa con un grande giardino. ............ (3) suo migliore amico è Chicco, ............ (4) gatto nero con ............ (5) occhi verdi, che non mangia ............ (6) pesce! Tommy, invece, mangia molto, anche ............ (7) pizza e ............ (8) spaghetti, e dorme tutto ............ (9) giorno.

*Chicco e Tommy*

**B** Choose the correct answer.

1. Signora, ...... (1) un caffè o ...... (2) un cappuccino?
   (1) a. prendi
   b. prende
   c. prendo
   (2) a. preferisce
   b. preferisco
   c. preferisci

2. Gli amici di Luana ...... (1) stasera: ...... (2) il treno delle 9.
   (1) a. partite
   b. partiamo
   c. partono
   (2) a. prendo
   b. prendono
   c. prendete

3. Giorgio e Riccardo non ...... (1) bene l'inglese, però ...... (2) tutto.
   (1) a. parla
   b. parliamo
   c. parlano
   (2) a. capisce
   b. capite
   c. capiscono

4. • Io sono Stefano, piacere.
   • ...... (1) Io sono Valeria.
   (1) a. Ci vediamo!
   b. Piacere!
   c. Arrivederci!

5. • Buongiorno, signora Letta.
   • Buongiorno, ...... (1), Lorenzo?
   • Bene, grazie!
   (1) a. come stai
   b. complimenti
   c. scusi

6. Io ...... (1) questo lavoro e ...... (2) per le vacanze.
   (1) a. finisco
   b. finisci
   c. finite
   (2) a. parti
   b. parto
   c. parte

7. Marco non ....... (1) la casa il sabato perché ....... (2).

| (1) | | (2) | |
|---|---|---|---|
| | a. puliamo | | a. lavoro |
| | b. pulisce | | b. lavori |
| | c. pulisci | | c. lavora |

8. È un libro ....... (1), ma molto ....... (2).

| (1) | | (2) | |
|---|---|---|---|
| | a. difficili | | a. interessante |
| | b. difficoltà | | b. interesse |
| | c. difficile | | c. interessanti |

**C** Solve the crossword.

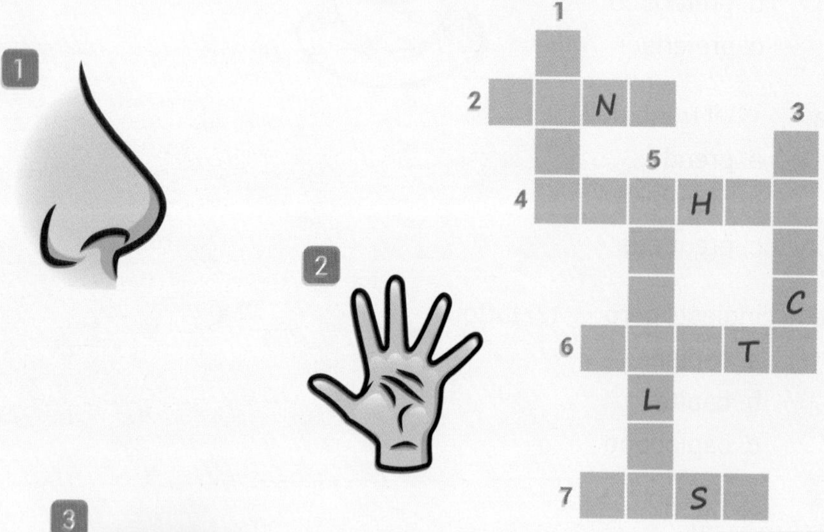


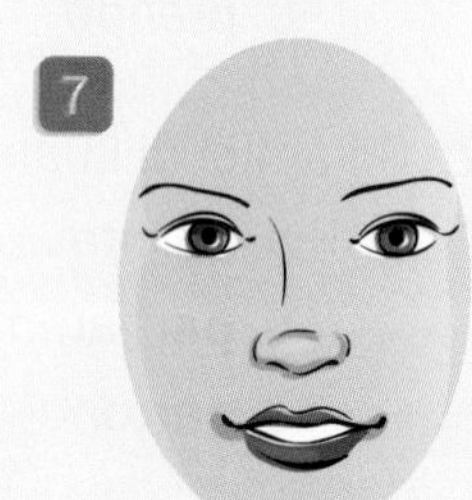

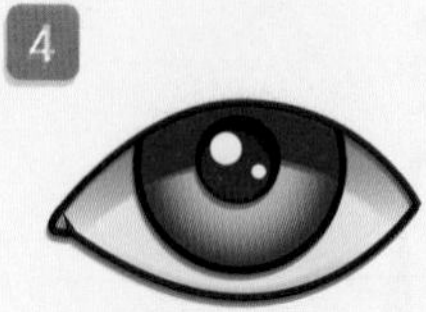


Risposte giuste: .......... / 30

All of the exercises are available in an interactive format at www.i-d-e-e.it

# Tempo libero

Glossary p. 174



**1** Complete the matching activity.

1. Antonio e Sergio amano lo sport:
2. Quest'anno dove
3. Domani Maria e Bruno
4. Qualche volta io
5. Domani sera cosa facciamo,
6. Se andate al supermercato, vengo

a. andate tu e Mariella in vacanza?
b. anch'io per prendere il latte.
c. vado a mangiare al ristorante.
d. vengono a casa mia.
e. vanno in palestra due volte alla settimana.
f. andiamo al cinema?

**2** Fill in the blue spaces with the present indicative of *andare* and the red spaces with the present indicative of *venire*.

Lago di Garda

1. Noi, il fine settimana, ................................ spesso al lago.
2. Luca e Maria ................................ in vacanza in Sardegna.
3. Franco, se ................................ al cinema, ................................ anch'io con te.
4. Giorgia, ................................ con noi al bar a bere qualcosa?
5. Marta ................................ in Francia per lavoro.
6. Quando ho un po' di tempo libero, ................................ a giocare a calcio.
7. Ragazzi, ................................ in centro in autobus o ................................ in macchina con noi?
8. Gino ................................ a prendere il caffè da me. Perché non ................................ anche voi?

**3** Complete the sentences with the present indicative of *andare* o *venire*.

1. Mario, venerdì sera noi ............................ al concerto dei Negramaro. ............................ con noi?
2. Domani pomeriggio Lucia e Bruno non possono ............................ a casa tua: ............................ in piscina.
3. Vincenzo, ............................ all'università? Io ............................ con te.
4. Oggi stiamo a casa, non ............................ a ballare con voi.
5. Ciao mamma, ............................ in palestra con Luca.
6. Ragazze, oggi ............................ in ufficio con me?
7. ............................ anche Martina e Lia al cinema con noi stasera!
8. Monica ............................ in centro con la metro o ............................ in macchina con Francesca?

**4** Complete the verbs. Refer also to the *Approfondimento grammaticale* on page 159 of the textbook.

1. • Aldo, cosa cerch............ nello zaino? • Cerc............ il libro di storia.
2. Nicola, perché non da............ il giornale a Giuseppe?
3. I ragazzi esc............ stasera?
4. Voi sap............ a che ora parte il treno?
5. Aldo e Massimo sono medici, fa............ un lavoro molto interessante.
6. Domani, la classe 3F cominci............ la lezione alle 11. Noi, ragazzi, cominci............ alle 10.

**5 a** Complete the sentences with the verbs provided.

*uscite* ♦ *dà* ♦ *fanno* ♦ *andate* ♦ *giochiamo* ♦ *sapete* ♦ *paghi* ♦ *venite* ♦ *sa* ♦ *stai*

1. Noi ............................ molto bene a tennis.
2. Ciao, Mario, come ............................?
3. Scusi signora, ............................ dov'è via Mazzini?
4. Signora Risi, ............................ Lei queste lettere al signor Risi?
5. Offro sempre io il caffè, questa volta ............................ tu!
6. Nel tempo libero Gina e Lorella ............................ tante cose.
7. Ragazzi, se sabato non ............................ cosa fare, perché non ............................ in montagna con noi?
8. Perché tu e Giulio non ............................? Perché qualche volta non ............................ al cinema o a teatro?

**b** Complete the sentences with the present indicative of the verbs provided. Refer also to the *Approfondimento grammaticale* on page 159 of the textbook.

1. Se io ............................ (bere) il caffè la sera, poi non dormo.
2. Piero ............................ (tradurre) dall'inglese e dal francese.
3. Io la sera ............................ (uscire) poco, spesso ............................ (rimanere) a casa perché sono stanco.
4. Nell'email, Irene e Vincenzo ............................ (dire) che ............................ (stare) bene e salutano tutti.
5. L'insegnante ............................ (dare) gli esercizi per casa.
6. Eleonora ............................ (andare) a un corso di tango ogni venerdì sera.
7. Luisa, perché non ............................ (spegnere) il computer?
8. Cosa ............................ (fare, noi) stasera? Pizza o cinema?

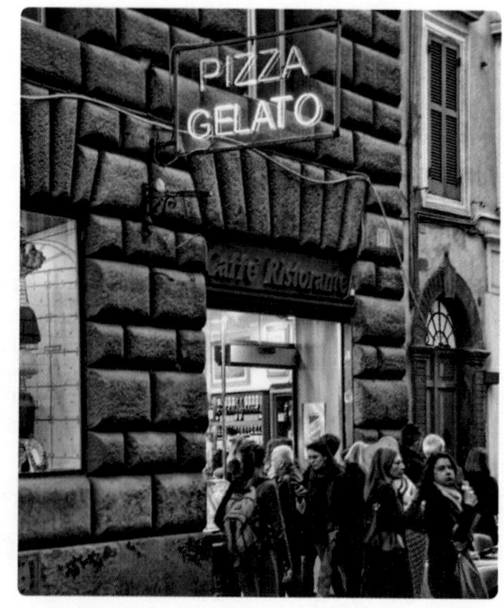

**6** Change the sentences, as in the example. Refer also to the *Approfondimento grammaticale* on page 159 of the textbook.

Il sabato sera vado spesso a teatro.
Tu *il sabato sera vai spesso a teatro* ?

1. Sabina dà l'indirizzo email a Robert.
   Sabina e Carla .................................................................................................................

2. Ogni sabato faccio sport.
   Mario .................................................................................................................
3. A colazione bevo il caffè.
   A colazione voi .................................................................................................?
4. Domani gioco a calcio con gli amici.
   Domani noi .................................................................................................................
5. Silvia spegne sempre il telefono quando lavora.
   Noi .................................................................................................................
6. Alessia, vieni con noi a ballare?
   Ragazzi, .................................................................................................?
7. Quando Luigi va al cinema, sceglie film italiani.
   Quando io .................................................................................................................
8. Lucia e Dario escono in Vespa.
   Ragazze, .................................................................................................?

**7** Choose the correct answer.

1. • Ho due biglietti per il concerto di Malika Ayane. Vuoi venire?
   • Certo! Vengo volentieri/andiamo/no, grazie!
2. • Cosa fai stasera, Piero? Esci con noi?
   • Stasera, mi dispiace/non posso/sì, grazie, voglio studiare.
3. • Perché non andiamo a mangiare una pizza?
   • No, grazie!/Non posso venire./Perché no? Prima però devo telefonare a casa.
4. • Questo fine settimana Paola e Francesca vanno al mare. Perché non/D'accordo/Che ne dici di andare con loro?
   • Sì, buona idea!
5. • Domani noi andiamo a mangiare da zia Mariella, vieni con noi?
   • Ho già un impegno/Mi dispiace/Perché no, purtroppo domani ho un esame, davvero non posso!
6. • Ragazzi, sabato vogliamo andare alla Scala?
   • Magari la prossima volta/Perché no/D'accordo: venerdì partiamo per Perugia.

Malika Ayane

**8** Change the sentences from the singular to the plural (*io → noi, tu → voi, lui / lei → loro*), or vice versa.

1. Io voglio visitare Firenze.
   Noi .................................................... Firenze.
2. Volete uscire con noi stasera?
   .................................................... con noi stasera?
3. Alba e Chiara non possono restare oggi.
   Sergio non .................................................... oggi.
4. Giulia vuole suonare in un gruppo musicale.
   Tutti .................................................... il pianoforte.
5. Ragazzi, dovete andare perché il treno parte.
   Luigi, ...................................................., è tardi!
6. Se viene anche Bruno, possiamo fare una partita a carte!
   Se viene anche Bruno, io .................................................... una partita a carte!
7. Devo portare Marco all'aeroporto e non posso andare al corso di tango!
   .................................................... Marco all'aeroporto e non .................................................... al corso di tango!

*Ponte Vecchio, Firenze*

**9** Fill in the blue spaces with the verbs *dovere, potere, volere* and the red spaces with the expressions provided below.

*che ne dici di* ♦ *d'accordo* ♦ *ottima idea* ♦ *perché no* ♦ *purtroppo*

- Ciao, Laura, .................................... (1) andare alla mostra su Leonardo da Vinci sabato?
- .................................... (2) sabato non .................................... (3), .................................... (4) vedere Piero.
- È una mostra molto interessante... Perché non chiedi a Piero se .................................... (5) venire anche lui? Se preferite, .................................... (6) andare domenica: io sono libera tutto il fine settimana...
- .................................... (7)? È un'.................................... (8)! Allora, a domenica.
- .................................... (9), ci vediamo domenica! Ciao.

**10** Write out the numbers in letters, as in the example.

| | | | |
|---|---|---|---|
| 312 | *trecentododici* | e. 467 | .................................... |
| a. 259 | .................................... | f. 8° | .................................... |
| b. 1.492 | .................................... | g. 871 | .................................... |
| c. 673 | .................................... | h. 10° | .................................... |
| d. 1.988 | .................................... | i. 14° | .................................... |

**11** **a** Complete the message with the expressions provided on the left, as in the example in blue.

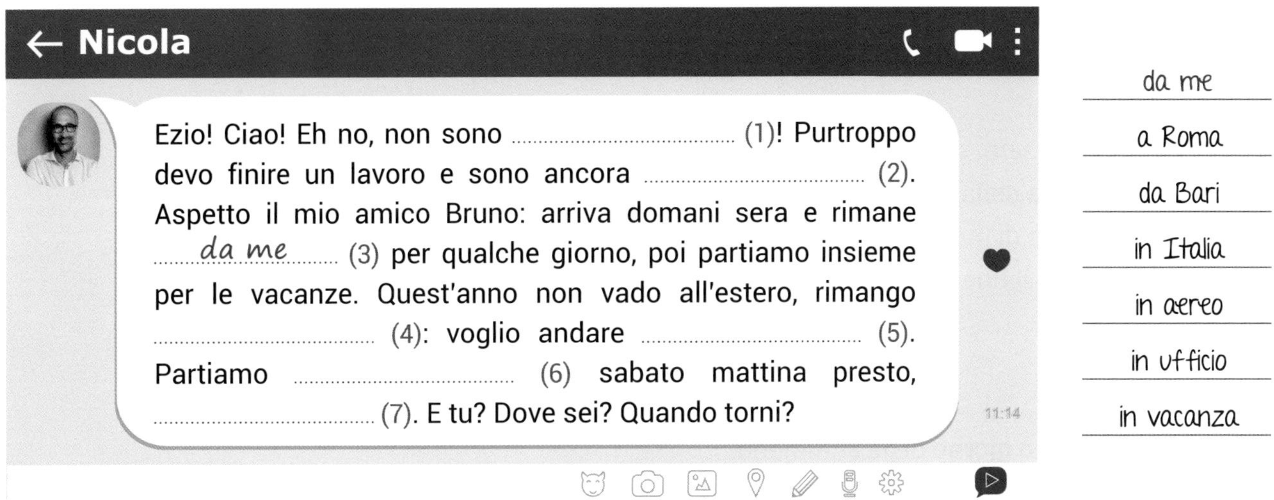
← Nicola
Ezio! Ciao! Eh no, non sono .................... (1)! Purtroppo devo finire un lavoro e sono ancora .................... (2). Aspetto il mio amico Bruno: arriva domani sera e rimane da me (3) per qualche giorno, poi partiamo insieme per le vacanze. Quest'anno non vado all'estero, rimango .................... (4): voglio andare .................... (5). Partiamo .................... (6) sabato mattina presto, .................... (7). E tu? Dove sei? Quando torni?
11:14
da me
a Roma
da Bari
in Italia
in aereo
in ufficio
in vacanza

**b** Complete the paragraph with the correct prepositions.

Carla abita ........ (1) Roma, ........ (2) un piccolo appartamento: cucina, bagno e camera da letto. È contenta perché è ........ (3) centro, vicino all'università, ed è molto fortunata perché paga poco d'affitto. Carla lavora part-time ........ (4) un ufficio, quattro ore ogni mattina. La sera, anche quando è molto stanca, ha sempre voglia di uscire, di andare ........ (5) bar o ........ (6) Michela, la sua vicina di casa. Spesso lei, Michela, Cinzia e Gabriella vanno ........ (7) teatro o ........ (8) cinema.

**12** Complete the paragraph with the words provided: insert the verbs in the blue spaces and the prepositions in the red spaces.

*vuole* ♦ *fa* ♦ *va* *mangia* ♦ *rimane*

*a* ♦ *a* *al* ♦ *al* *da* ♦ *in* ♦ *in*

Piero è uno studente, abita ........ (1) Napoli dove studia Lettere. Tutti i giorni, dopo la lezione, va ........ (2) biblioteca e .................... (3) lì tutta la mattina. Alle 12 .................... (4) un panino ........ (5) bar dell'università e poi torna a studiare perché .................... (6) finire presto l'università per andare ........ (7) fare un Master negli Stati Uniti. Piero ama molto il cinema: la sera .................... (8) spesso ........ (9) Antonio, un suo amico, a vedere un film. Il fine settimana, qualche volta, .................... (10) una gita ........ (11) mare o ........ (12) montagna.

Giochi

**13** Complete the questions with the expressions provided.

*d'affitto* ♦ *al sesto piano* ♦ *in aereo* ♦ *in centro* ♦ *in vacanza* ♦ *in ufficio*

1. • Dove andate .................... quest'anno?
   • Quest'anno andiamo in montagna.
2. • Dove abiti? Abiti ....................?
   • No, abito in periferia.
3. • Appartamento .................... senza ascensore?! Comodo!
   • Beh... Non devi andare in palestra!
4. • Quanto paghi ....................?
   • Pago 500 euro.
5. • Vai .................... a piedi?
   • No, prendo l'autobus, per non fare tardi.
6. • Parti .................... per Venezia?
   • No, preferisco prendere il treno.

**14** Solve the crossword.

Orizzontali

2. Il giorno dopo il mercoledì.
5. Ha sette giorni.
7. Il contrario di *sera*.
8. Il giorno prima della domenica.
9. Il giorno prima di mercoledì.
10. Il giorno dopo il fine settimana.

Verticali

1. Il settimo giorno della settimana.
3. Il quinto giorno della settimana.
4. Il giorno dopo oggi.
6. Il giorno dopo il martedì.

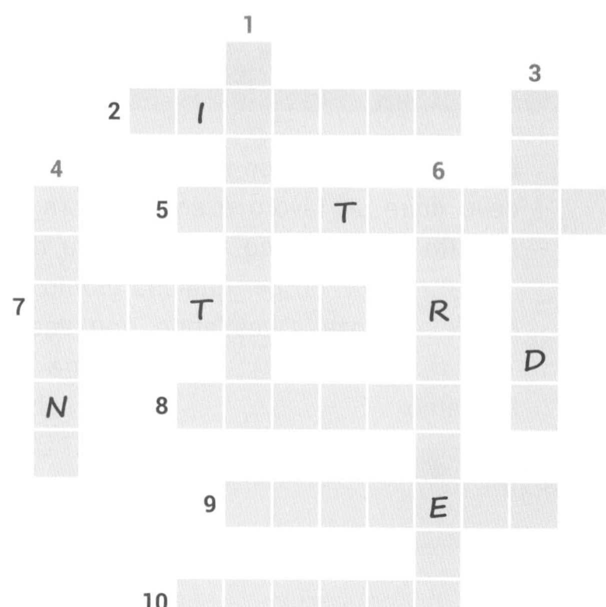

**15** *Che ore sono?* Complete the sentences, as in the example.

1. Sono le quattro *e* quarantotto.
Sono le *cinque* meno dodici.

2. Sono le dodici e .................................
È ................................. e venticinque.

3. Sono le ...................... e quaranta.
Sono le sei ...................... venti.

4. ..................... l'una e trentacinque.
Sono le ..................... e trentacinque.

5. Sono ..................... otto e venti.
Sono le ..................... e venti.

6. Sono le sette e .......................................
Sono le otto meno un .......................

**16** Refer to page 40 of the textbook. Then, read the paragraph below and choose the correct options.

Per visitare Milano puoi usare i mezzi/la metropolitana (1) pubblici. Ci sono più di 100 linee di autobus e tram e quattro di metropolitana/stazioni (2). Puoi comprare i biglietti/l'affitto (3) al bar, in discoteca /tabaccheria (4), all'edicola, o nelle stazioni/corse (5) della metropolitana alle gite/macchinette (6) automatiche.

**A** Complete the paragraph with the present indicative of the verbs.

Alessandro lavora in centro. Ogni giorno .................................. (1. andare) al lavoro a piedi, qualche volta .................................. (2. prendere) l'autobus. Di solito .................................. (3. uscire) di casa alle 8, .................................. (4. vedere) Davide, un suo collega, in Piazza Mazzini e .................................. (5. fare) colazione insieme prima di andare in ufficio. Oggi Alessandro e Davide, quando .................................. (6. finire) di lavorare, .................................. (7. volere) andare allo stadio, perché .................................. (8. giocare) la Juventus. Non .................................. (9. sapere) ancora se .................................. (10. andare) da soli o con Licia e Gabriella.

**B** Choose the correct answer.

1. Enzo, ....... (1) spesso a calcio? Un giorno ....... (2) giocare con noi?

| (1) | | (2) | |
|---|---|---|---|
| | a. giochiamo | | a. vuoi |
| | b. gioco | | b. deve |
| | c. giochi | | c. sai |

2. Se Giorgio non ....... (1) con noi, ....... (2) andare con una macchina.

| (1) | | (2) | |
|---|---|---|---|
| | a. viene | | a. possiamo |
| | b. vieni | | b. vogliamo |
| | c. vengo | | c. sappiamo |

3. • Cara, stasera ....... (1) al cinema?
   • ....... (2) Che film vuoi vedere?

| (1) | | (2) | |
|---|---|---|---|
| | a. vogliamo | | a. Vuoi venire? |
| | b. andiamo | | b. Volentieri! |
| | c. vediamo | | c. D'accordo? |

4. L'appartamento di Roberto è grande: ha tre ....... (1), due bagni, la cucina, il soggiorno e un grande ....... (2) dove suona il pianoforte.

| (1) | | (2) | |
|---|---|---|---|
| | a. camere con letto | | a. balcone |
| | b. camere di letto | | b. studio |
| | c. camere da letto | | c. ripostiglio |

5. Il mio ufficio è al (4°) ....... (1) piano, l'ufficio del direttore è al (18°) ....... (2).

| (1) | | (2) | |
|---|---|---|---|
| | a. terzo | | a. diciottesimo |
| | b. quinto | | b. diciassettesimo |
| | c. quarto | | c. sedicesimo |

6. Quando vado ....... (1) mia madre in centro, preferisco andare ....... (2) autobus.

| (1) | | (2) | |
|---|---|---|---|
| | a. in | | a. di |
| | b. da | | b. in |
| | c. a | | c. con |

7. Sono le (11:15) ....... (1) ed è ....... (2), domani è venerdì.

| | | | |
|---|---|---|---|
| (1) | a. undici quindici | (2) | a. lunedì |
| | b. undici e un quarto | | b. martedì |
| | c. undici e quarto | | c. giovedì |

8. Sono le (8:35) ....... (1) e Giuseppe è pronto per andare ....... (2) ufficio.

| | | | |
|---|---|---|---|
| (1) | a. otto e trentacinque | (2) | a. da |
| | b. nove meno trentacinque | | b. in |
| | c. venticinque alle nove | | c. al |

## C Solve the crossword puzzle.

**Orizzontali**

2. La stanza della casa dove prepariamo la cena.
6. Lo sport più famoso in Italia e non solo.
7. Una casa alta ha molti...
8. Dire di sì a un invito.
9. Cosa dico per salutare quando entro in un bar la mattina?

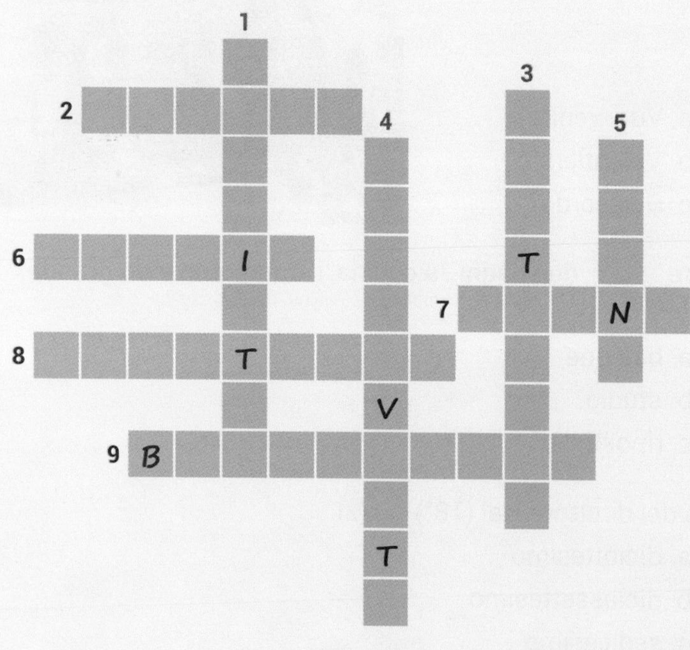


**Verticali**

1. Per entrare al cinema, a teatro, al museo o per prendere l'autobus o la metro devo avere il...
3. Ha sette giorni.
4. Il dialogo con un giornalista.
5. La stanza della casa dove facciamo la doccia.

**Risposte giuste:** ....... / 35

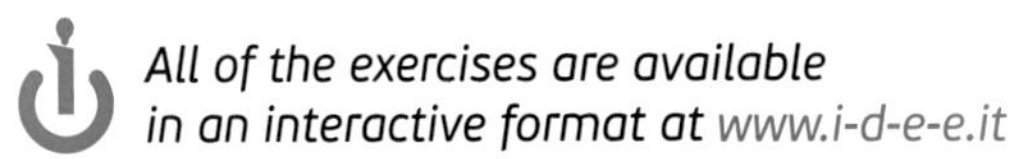

All of the exercises are available in an interactive format at www.i-d-e-e.it

# 1° test di ricapitolazione



**A** Insert the definite article.

1. ........... finestra
2. ........... libri
3. ........... bicchiere
4. ........... amico
5. ........... città
6. ........... pesci
7. ........... autobus
8. ........... lezione
9. ........... occhi
10. ........... albero
11. ........... giornale
12. ........... pagina

........../12

**B** Write the plural forms.

1. la casa grande ...........................................
2. la macchina nuova ...........................................
3. il problema lungo ...........................................
4. il libro francese ...........................................
5. il mare azzurro ...........................................
6. la valigia verde ...........................................
7. la turista simpatica ...........................................
8. il film interessante ...........................................

........../8

**C** Complete the sentences with the verbs provided.

*viviamo ♦ compro ♦ apre ♦ arriviamo ♦ vanno ♦ torna*
*arriva ♦ parliamo ♦ finisce ♦ leggono ♦ ha ♦ mangi*

1. Stefania e Luca .............................. spesso a ballare.
2. Francesco .............................. una bella casa in centro.
3. Noi .............................. a Perugia da due anni e .............................. bene l'italiano.
4. L'edicola .............................. alle 6 e io .............................. il giornale prima di andare in ufficio.
5. Giorgio .............................. di lavorare alle 5 e .............................. a casa a piedi.
6. Mauro e Gianni tutte le mattine .............................. il giornale.
7. Carmen .............................. sempre tardi agli appuntamenti. Noi .............................. sempre in orario.
8. Perché tu .............................. così pochi spaghetti?

........../12

**D** Insert the indefinite article.

1. ........... notte
2. ........... problema
3. ........... zaino
4. ........... espresso
5. ........... mano
6. ........... unità
7. ........... gonna
8. ........... studentessa
9. ........... famiglia
10. ........... gelato
11. ........... opera
12. ........... appartamento

........../12

**E** Read the text and choose the correct answers.

Sono le otto: Carlo prende un caffè a casa e dopo va all'università. Alle nove ha lezione di storia e alle dodici lezione d'inglese. All'una e trenta va a mangiare con i compagni. Alle due e mezzo finiscono di mangiare, vanno al bar e prendono un caffè. Sono le quattro: inizia la lezione di storia dell'arte! Carlo saluta gli amici e torna all'università per la lezione. La lezione finisce alle sei e Carlo è libero: prende l'autobus e alle sette è a casa. Alle otto mangia con la famiglia, poi legge un libro. Alle undici e mezza va a letto.

1. Alle nove Carlo
   a. è all'università
   b. è ancora a casa sua
   c. prende un caffè al bar
2. A mezzogiorno Carlo
   a. ha lezione di storia
   b. va a mangiare
   c. ha lezione d'inglese
3. All'una e mezzo Carlo
   a. mangia con i suoi amici
   b. finisce di mangiare
   c. beve un caffè
4. Alle sei Carlo
   a. è libero
   b. ha ancora una lezione
   c. torna all'università
5. Alle sette Carlo
   a. torna a casa
   b. saluta gli amici
   c. va al bar
6. Alle otto Carlo
   a. va a letto
   b. mangia con la famiglia
   c. esce con gli amici

.......... /6

**F** Complete the sentences with the present indicative of the verbs in parentheses.

1. Noi non .................................. (sapere) se Luisa .................................. (arrivare) domani.
2. Io non .................................. (potere) restare, .................................. (dovere) tornare a casa.
3. Io non .................................. (sapere) usare bene il computer.
4. Noi .................................. (dovere) partire domani mattina presto.
5. Lui la mattina non .................................. (bere) il caffè.
6. Dino .................................. (andare) al mare questo fine settimana.
7. Io .................................. (spedire) una mail a un amico.
8. Signora, .................................. (volere) venire a Napoli con noi sabato?

.......... /10

**Risposte giuste:** .......... **/60**

All of the exercises are available in an interactive format at www.i-d-e-e.it

# In contatto

Unità 3

Glossary p. 176



**1 a** Match the words with the images.

a

b

c

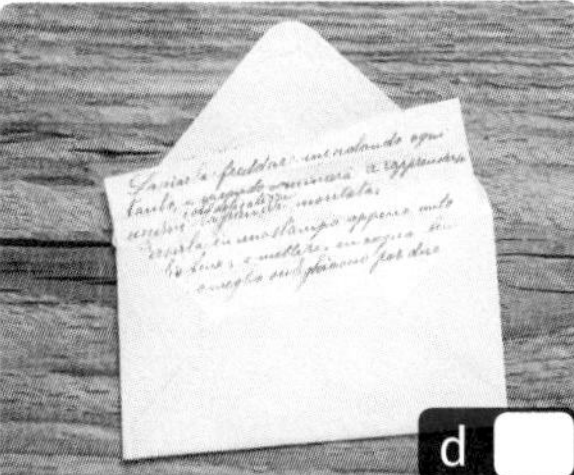
d

e

f

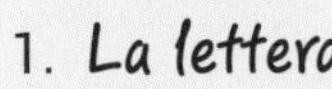

1. La lettera
2. Il computer
3. Il gatto
4. I libri
5. I fiori
6. Le chiavi

**b** *Dove sono?* Look at the images and write the answers, as in the example in blue.

1. La lettera *è nella busta*.
2. Il computer .................................
3. Il gatto .................................
4. I libri .................................
5. I fiori .................................
6. Le chiavi .................................

**2 a** Complete the paragraph with the prepositions provided.

*con il ♦ a ♦ ai ♦ per ♦ in*

## Bar Vaticano

Finalmente siamo ............ (1) Roma! Dopo un lungo giro ............ (2) città, arriviamo in un bar vicino ............ (3) Musei Vaticani. Il bar è piccolo, perfetto ............ (4) un pranzo veloce! Infatti, mangiamo due buonissimi panini ............ (5) prosciutto e beviamo un buon caffè. Ottimo!

**b** Complete the paragraph with the prepositions provided, as in the example.

*del ♦ nel ♦ sui ♦ alle*
*dall' ♦ della ♦ dalla ♦ nelle*

## La via *del* (1) caffè

Cercate un'ora di relax poco lontano da Piazza ............ (2) Repubblica? Potete provare questo locale! Ci sono più di 20 tipi di caffè: vengono ............ (3) Colombia, ............ (4) Ecuador, dal Brasile... da tutto il mondo! ............ (5) bar non ci sono solo caffè, ma anche libri! ............ (6) librerie, ............ (7) tavoli, vicino ............ (8) finestre, trovate libri sul caffè in tutte le lingue! Un posto davvero speciale!

## 3 Complete the sentences with the articulated prepositions *da* or *di*.

Amalfi

1. .................... balcone di casa vedo il mare!
2. Passiamo la sera .................... signori Baraldi.
3. Pierre ha un nome francese, ma viene .................... Olanda.
4. Lui è il fratello .................... mia ragazza.
5. Dov'è la casa .................... fratelli di Antonia?
6. Domani pomeriggio devo andare .................... dottore.
7. Questo è il libro .................... studente e questo il quaderno .................... esercizi.
8. Puoi telefonare a Piero stasera: è a casa .................... otto alle dieci.

## 4 Complete the sentences with the simple or articulated prepositions.

1. La posta è vicino ............. fermata ............. autobus.
2. Quanti giorni restate ............. città?
3. Domenica parto ............. Francia.
4. Vado a casa una volta ............. mese.
5. Siamo tutti ............. bar ............. guardare la partita alla tv.
6. Le chiavi di casa sono ............. mia borsa.
7. Giorgia arriva ............. aeroporto ............. 20.
8. Casa mia è vicino ............. università.

## 5 Study the images and create five sentences, as in the example. Refer also to the *Approfondimento grammaticale* on page 161 of the textbook.

1

2
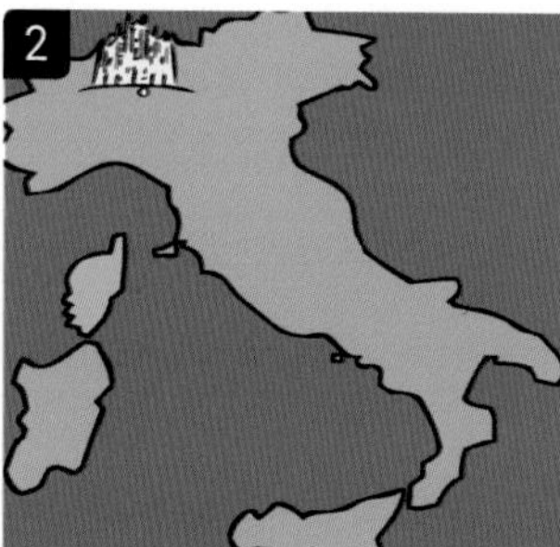

3

4

5

*regalo ♦ Roberto*
*io ♦ Milano*
*borsa ♦ treno*

*a ♦ con gli*
*nell' ♦ della*
*tra ♦ per ♦ sul*

*Marcella*
*professoressa*
*Italia del Nord*
*amici ♦ casa*
*venti minuti*

*Io sono a casa.*

1. ........................................................................................ (essere)
2. ........................................................................................ (essere)
3. ........................................................................................ (partire)
4. ........................................................................................ (essere)
5. ........................................................................................ (essere)

**6** **Complete the sentences with the simple and articulated prepositions, as in the example.**

1. Aspetto Maria ...*in*... ufficio. ➜ Aspetto Maria ..*nell'*.. ufficio del direttore.
2. Vado .......... Argentina. ➜ Vado .............. Argentina del Sud.
3. Giulia lavora .......... banca. ➜ Marco lavora .............. Banca del Lavoro.
4. Telefono .......... Rita. ➜ Telefono .............. mia collega.
5. Parliamo .......... sport. ➜ Parliamo .............. sport più famoso in Italia.
6. Vado a Milano .......... treno. ➜ Vado a Milano .............. treno delle 6.
7. Questa sera andiamo .......... teatro. ➜ Questa sera andiamo .............. teatro Ariston.
8. Sono .......... biblioteca. ➜ Sono ...................... biblioteca dell'università.

**7** **Choose the correct option.**

1. Vado in vacanza in/per Colombia.
2. Ogni anno vado al mare per l'/nell'Italia del Sud.
3. Venite anche voi in/a casa di Domenico?
4. Questo fine settimana parto per/a Torino.
5. Marco domani torna ai/dagli Stati Uniti.
6. I miei amici lavorano a/in banca.
7. Stasera andiamo tutti a/da Giulio? È il suo compleanno!
8. La lezione di italiano è dalle/nelle 10 alle 12.

**8** **Complete the text. Insert the words provided below in the blue spaces, and the simple or articulated prepositions in the green spaces.**

*cellulari* ♦ *tempo* ♦ *telefonata* ♦ *email* ♦ *lontani* ♦ *videochiamata*

Avete amici ...................................... (1)? Per fortuna ci sono ...................................... (2) e social network! Rimanere .............. (3) contatto, raccontare la propria giornata, chiedere un parere... è tutto possibile .............. (4) i messaggi, le chat e le ...................................... (5).

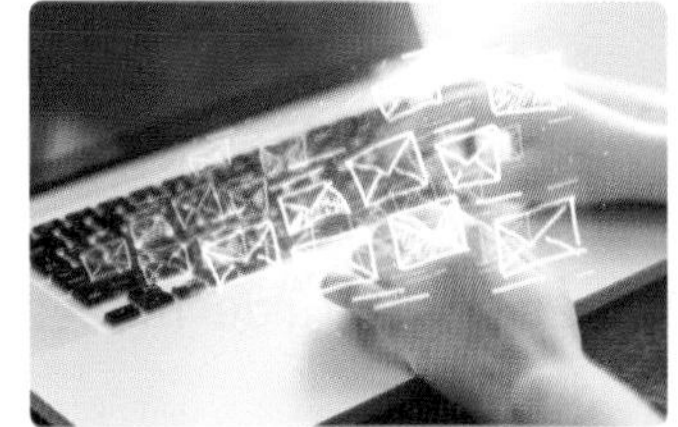

Ma è davvero la stessa cosa? Perché qualche volta non proviamo il "vecchio" metodo? No, non parliamo .............. (6) lettere o dei pacchi postali, ma .............. (7) una semplice ...................................... (8)!

Quando è importante telefonare? Beh, prima di tutto quando è passato molto ...................................... (9) dall'ultima volta: non possiamo scrivere un semplice "Ciao, come va?" .............. (10) una persona che non sentiamo .............. (11) mesi! Poi, dobbiamo telefonare quando l'amico non sta bene: in questi momenti una telefonata può cambiare tutto. E se non potete usare la vecchia tecnologia... Beh, potete fare una ...................................... (12)!

adattato da *www.elle.it*

**9** Change the sentences by using the partitive, as in the example.

| | | |
|---|---|---|
| Compro un regalo a Gianni. | ➜ | *Compriamo dei regali a Gianni.* |
| 1. Ho un amico australiano. | ➜ | Noi ........................................ |
| 2. Spedisco un'email. | ➜ | Le dottoresse ........................................ |
| 3. Esce spesso con una ragazza italiana. | ➜ | Noi ........................................ |
| 4. Viene a cena una persona importante. | ➜ | Vengono ........................................ |
| 5. Luca è un bravo ragazzo. | ➜ | Luca e Paolo sono ........................................ |

**10** Study the images and answer the questions.

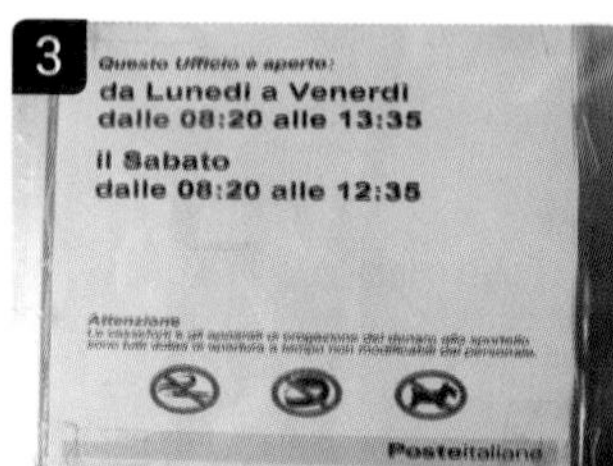

1. A che ora chiude il negozio di borse Loly la mattina?

   ........................................................................

2. A che ora chiude il Parco Ciani a febbraio?

   ........................................................................

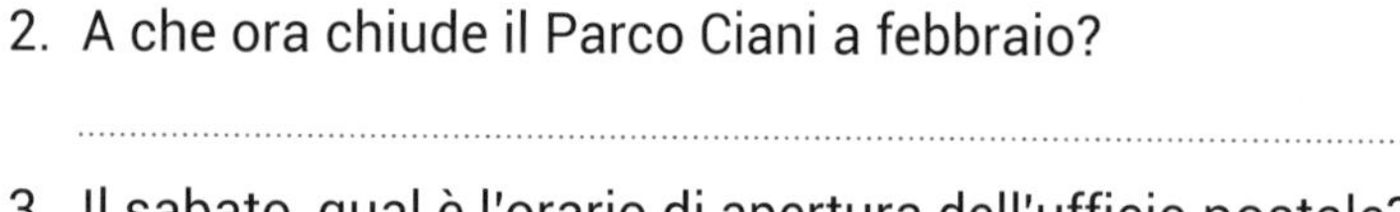

3. Il sabato, qual è l'orario di apertura dell'ufficio postale?

   ........................................................................

4. A che ora chiude la banca il pomeriggio?

   ........................................................................

5. A che ora apre la biblioteca il mercoledì?

   ........................................................................

6. Qual è l'orario di apertura del museo nel pomeriggio?

   ........................................................................

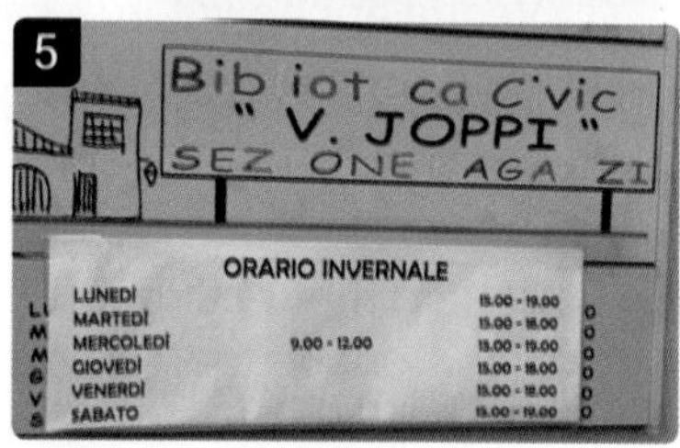

**11** Complete the sentences with the time of day, as in the example. Pay attention to the preposition!

1. Sono alla stazione. Sono le otto e trentanove e il treno parte fra 16 minuti.
   Il treno parte *alle nove meno cinque/alle otto e cinquantacinque*........
2. Sono le tre. Il treno arriva fra un'ora e mezzo.
   Il treno arriva ........................................................................
3. Sono le cinque. Aspetto Maria da un'ora.
   Aspetto Maria ........................................................................
4. Mariella guarda l'orologio. È l'una: fra 45 minuti finisce di lavorare.
   Mariella finisce di lavorare ........................................................................

5. Sono le dieci. Devo vedere il professore fra 90 minuti.
   Devo vedere il professore ..........................................................................................................................
6. Sono le sei. Carlo ha appuntamento con Anna fra un'ora.
   Carlo ha appuntamento con Anna ..........................................................................................................................
7. Sono le otto. Ho una lezione all'università fra un'ora e 15 minuti.
   Ho una lezione all'università ..........................................................................................................................

**12** Complete the sentences with the words and expressions provided.

*magari* ♦ *non so* ♦ *non sono sicuro* ♦ *penso* ♦ *probabilmente*

- Allora, Francesco, vieni con noi al cinema o no?
- Mah... .............................. (1) cosa fare: sono un po' stanco e devo studiare... che film andate a vedere? Com'è? È bello?
- .............................. (2) di sì: Piero dice che è molto interessante. Allora? Vieni?
- Mmh... A che ora inizia il film?
- .............................. (3), alle sette... beh, non più tardi delle otto.
- Sì, ma dopo il film... di solito voi uscite a cena e fate tardi!
- .............................. (4) sì, ma se vuoi, tu puoi prendere la mia macchina e tornare a casa.
- No, dai, .............................. (5) un'altra volta: ho l'esame tra una settimana e devo studiare!

Giochi

**13** Put the words in order to create sentences. Start with the highlighted words.

1. il | sotto | è | gatto | il | letto di | Luca
   ..........................................................................................................................
2. è | la | dell' | autobus | del | fermata | a | destra | supermercato
   ..........................................................................................................................
3. di Marcello | casa | è | la | all' | accanto | ufficio postale
   ..........................................................................................................................
4. abbiamo | ed io | Marisa | dentro | appuntamento | la | stazione
   ..........................................................................................................................
5. panificio | è | ufficio | Mirca | di | davanti | il | all'
   ..........................................................................................................................
6. computer di | sopra | c'è | la | scrivania | il | Dario
   ..........................................................................................................................

**14** Look at the image and complete the description with the prepositions and expressions provided.

*sopra* ♦ *sul* ♦ *sui* ♦ *sotto* ♦ *tra* ♦ *davanti* ♦ *vicino* ♦ *a destra*

Il soggiorno di Grazia è molto luminoso perché ha una finestra molto grande e il divano e le poltrone sono bianchi. Il divano è .......................... (1) alla finestra e ci sono due tavolini .......................... (2) le poltrone e il divano. .......................... (3) alle poltrone c'è una lampada nera moderna. .......................... (4) i tavolini c'è un grande tappeto. .......................... (5) divano ci sono dei cuscini e .......................... (6) tavolini ci sono dei libri. C'è anche un camino. .......................... (7) il camino c'è una grande fotografia; .......................... (8) della fotografia ci sono una lampada e uno specchio.

**15** Complete the sentences with *c'è* or *ci sono*.

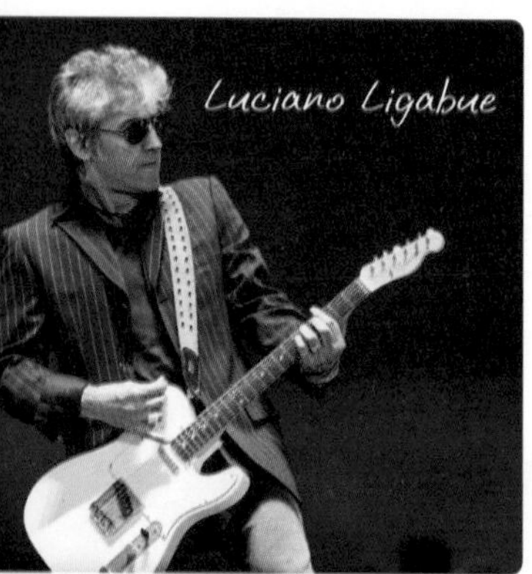


1. Se .................... ancora biglietti per il concerto di Ligabue, vengo anch'io!
2. Oggi .................... molto traffico in centro.
3. Nella mia classe .................... molti studenti stranieri.
4. Questa città mi piace: .................... la metro e .................... molti autobus!
5. In Sicilia .................... delle isole molto belle.
6. Vieni da noi stasera a guardare la TV? .................... un film molto bello su Rai 2.
7. Se vuoi partire stasera per Trieste, .................... un treno alle nove.
8. In ufficio .................... una ragazza molto simpatica, si chiama Veronica.

**16** Complete the sentences with the possessive adjectives.

1. Maria, la .................... casa è molto grande. Quanto paghi d'affitto?
2. Marco e il .................... professore partono per Milano.
3. • Sai dov'è il mio quaderno?
   • Sì, il .................... quaderno è qui.
4. • Di chi è questa borsa?
   • È di Michela, è la .................... borsa.
5. Cerco la penna. Dov'è la .................... penna?
6. Ho un piccolo gatto. Il .................... gatto si chiama Gigi.

**17** Complete the dialogues. Express gratitude or respond to an expression of gratitude.

In centro

- Scusi, sa dov'è via del Fossato?
- Sì, è la terza strada a destra.
- ..........................................
- Di niente!

- Ecco, questo è il libro per l'esame.
- ..........................................
- Figurati!

- Mamma, possiamo avere la pizza?
- Certo!
- ..........................................
- ..........................................

**18** Answer the questions, as in the example in blue.

In quale stagione è il mese di gennaio?

1. In quale stagione è il mese di aprile? ..........................................
2. In quale stagione andiamo al mare? ..........................................
3. In quale stagione ci sono molti fiori? ..........................................
4. In quale stagione è il mese di ottobre? ..........................................
5. In quale stagione è il tuo compleanno? ..........................................

**19** Complete the messages with the articulated or simple prepositions.

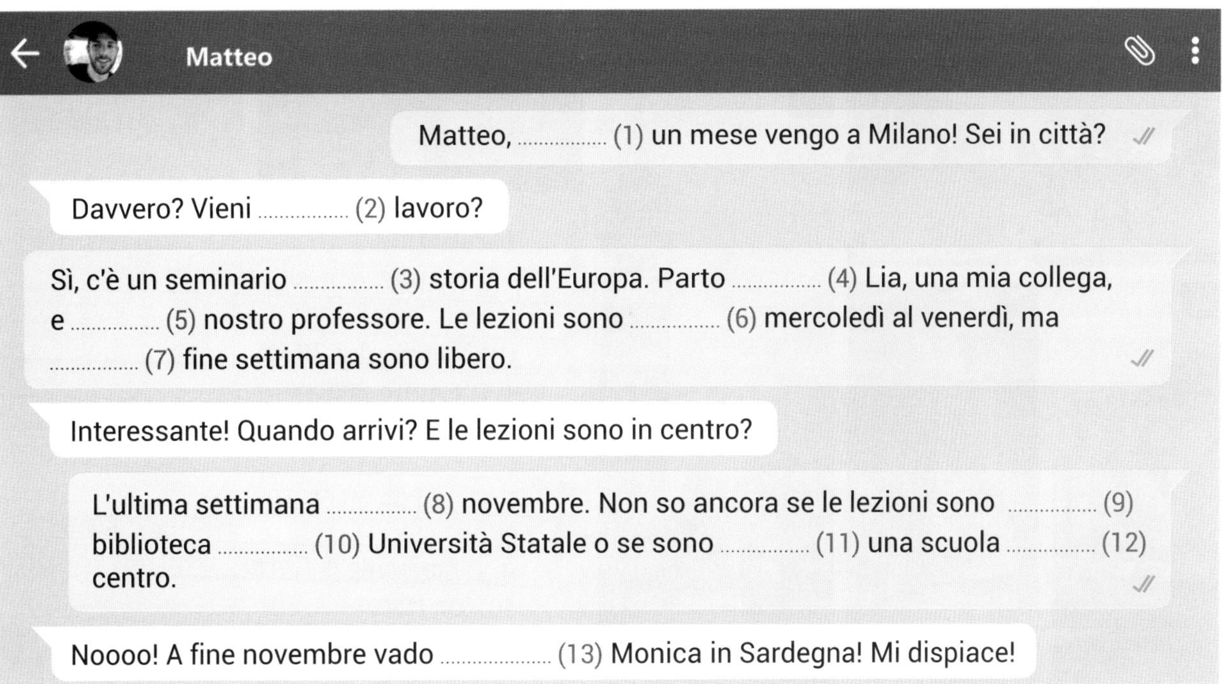

Matteo

Matteo, ................ (1) un mese vengo a Milano! Sei in città?

Davvero? Vieni ................ (2) lavoro?

Sì, c'è un seminario ................ (3) storia dell'Europa. Parto ................ (4) Lia, una mia collega, e ................ (5) nostro professore. Le lezioni sono ................ (6) mercoledì al venerdì, ma ................ (7) fine settimana sono libero.

Interessante! Quando arrivi? E le lezioni sono in centro?

L'ultima settimana ................ (8) novembre. Non so ancora se le lezioni sono ................ (9) biblioteca ................ (10) Università Statale o se sono ................ (11) una scuola ................ (12) centro.

Noooo! A fine novembre vado ................ (13) Monica in Sardegna! Mi dispiace!

**20** Write the numbers in letters.

1. A Venezia ci sono .................... (435) ponti.
2. Milano ha .................... (1.350.000) abitanti.
3. Il Monte Bianco è alto .................... (4.810) metri.
4. Ogni giorno, più di .................... (21.000) persone visitano il Colosseo.
5. In tutto il mondo spediamo circa .................... (156.000.000) di email al minuto.
6. Ogni giorno nel mondo facciamo circa .................... (340.000.000) di minuti di videochiamate.

**21** Listen to the dialogue and complete the list with the missing monuments and cities.

25

1

2

3

4

5

6

7

8

9

10

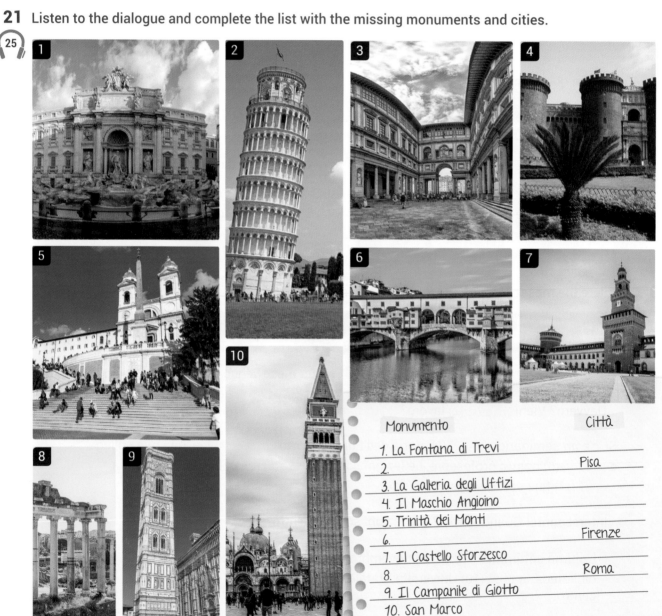

| Monumento | Città |
| --- | --- |
| 1. La Fontana di Trevi | |
| 2. | Pisa |
| 3. La Galleria degli Uffizi | |
| 4. Il Maschio Angioino | |
| 5. Trinità dei Monti | |
| 6. | Firenze |
| 7. Il Castello Sforzesco | |
| 8. | Roma |
| 9. Il Campanile di Giotto | |
| 10. San Marco | |

**A** Insert the correct (simple or articulated) preposition.

Gabriella lavora .................... (1) un negozio di borse .................... (2) centro a Milano. Per essere .................... (3) lavoro .................... (4) nove deve uscire di casa .................... (5) sette e mezzo. .................... (6) la macchina va fino ............................... (7) stazione .................... (8) metropolitana più vicina .................... (9) casa e prende la linea 2. Di solito scende .................... (10) Piazza Duomo e sale .................... (11) tram 19. Qualche volta non prende il tram e va al negozio .................... (12) piedi.

**B** Choose the correct answer.

1. Signora Viuzzi, ....... (1) cosa parla ....... (2) suo ultimo libro?
   - (1) a. per / b. con / c. di
   - (2) a. dal / b. nel / c. per il

2. Studio cinese ....... (1) cinque anni e finalmente tra un mese parto ....... (2) Cina!
   - (1) a. con / b. per / c. da
   - (2) a. per la / b. in / c. dalla

3. Questa lettera è ....... (1) professore di francese. Puoi spedire la lettera ....... (2) ufficio postale?
   - (1) a. al / b. per il / c. dal
   - (2) a. dall' / b. dello / c. dell'

4. • Scusi, signora, c'è una farmacia qui vicino?
   • Qui a destra, ....... (1) alla banca.
   • ....... (2)
   • Di niente.
   - (1) a. accanto / b. dentro / c. intorno
   - (2) a. Ti ringrazio! / b. Figurati! / c. Grazie mille!

5. Vado ....... (1) supermercato a comprare ....... (2) latte. Vieni con me?
   - (1) a. per il / b. al / c. dal
   - (2) a. dei / b. dello / c. del

6. L'Italia ha (60.000.000) ....... (1) di abitanti, di questi circa (5.000.000) ....... (2) sono stranieri.
   - (1) a. settanta milioni / b. seicento milioni / c. sessanta milioni
   - (2) a. cinquecentomila / b. cinque milioni / c. cinquemila

7. Nella mia città ....... (1) un teatro e ....... (2) due grandi cinema.

| (1) | | (2) | |
|---|---|---|---|
| | a. c'è | | a. ci sono |
| | b. è | | b. stanno |
| | c. ci sono | | c. sono |

8. Nella mia camera ....... (1) letto c'è l'armadio e ....... (2) finestra c'è la scrivania.

| (1) | | (2) | |
|---|---|---|---|
| | a. tra il | | a. vicino alla |
| | b. intorno | | b. a sinistra |
| | c. a destra del | | c. dentro la |

9. • Dov'è il mio libro?
   • Probabilmente è ....... (1) libri che sono ....... (2) tua scrivania!

| (1) | | (2) | |
|---|---|---|---|
| | a. davanti agli | | a. accanto |
| | b. tra i | | b. sulla |
| | c. dentro gli | | c. tra |

**C** Solve the crossword.

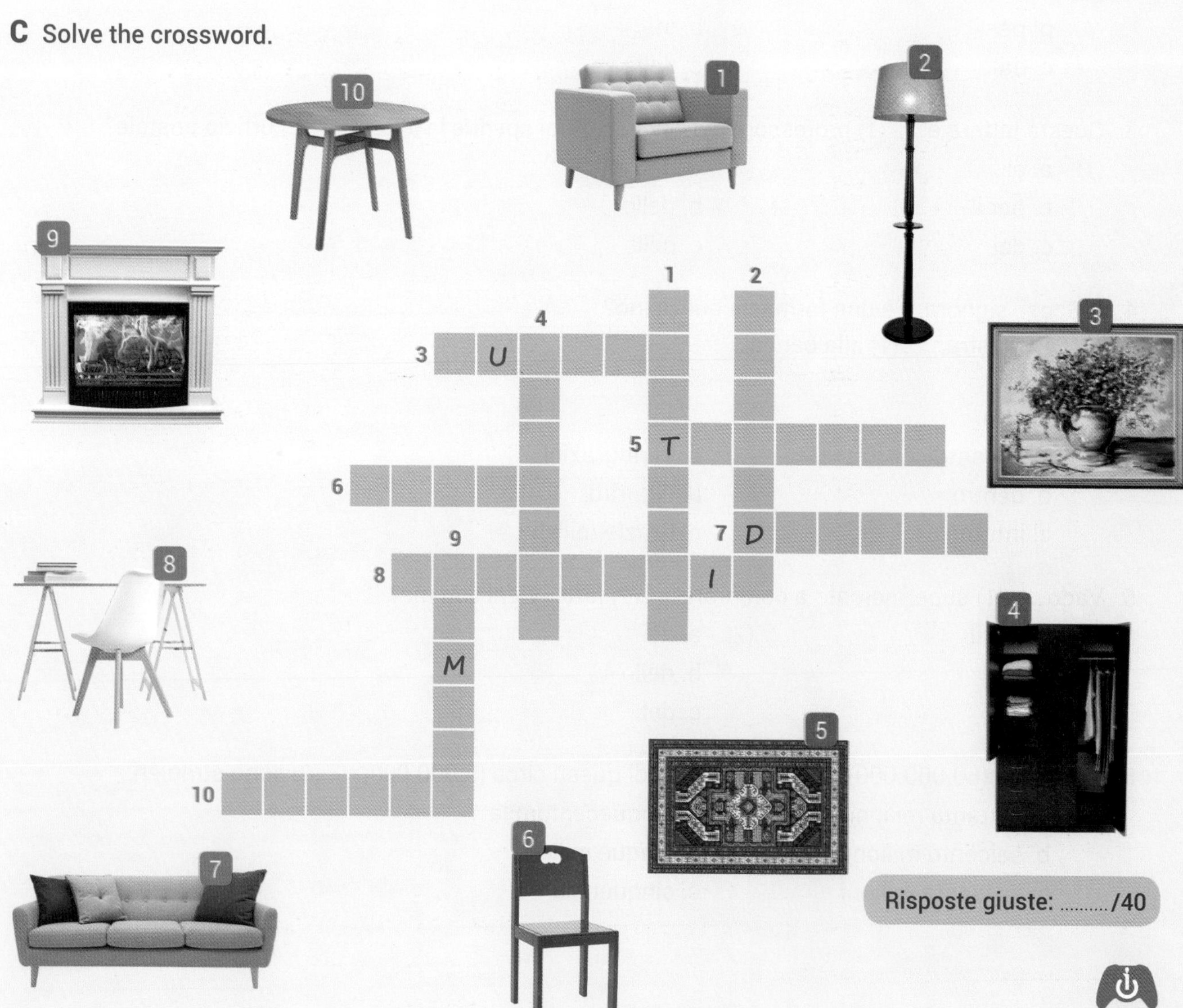

Risposte giuste: ........../40

Giochi

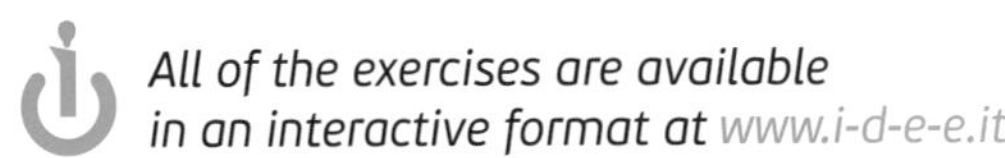
All of the exercises are available in an interactive format at www.i-d-e-e.it

# Buon fine settimana!

Glossary p. 177



**1** **Complete the sentences with the past participle of the verbs.**

1. In questi giorni ho .................................... (visitare) tutti i musei della città.
2. Anna ha .................................... (spedire) un'email ieri mattina.
3. I ragazzi hanno .................................... (sentire) la notizia alla radio.
4. Domenica abbiamo .................................... (dormire) tutto il giorno!
5. Avete .................................... (sapere) che l'esame è la settimana prossima?
6. Chi ha .................................... (mangiare) il dolce?
7. Ho .................................... (avere) un'idea: andiamo al mare questo fine settimana?
8. Ho .................................... (ballare) con Vincenzo tutta la sera!

**2** **Complete the sentences with the present perfect (*passato prossimo*) of the verbs provided.**

*capire* ♦ *comprare* ♦ *finire* ♦ *sentire* ♦ *portare* ♦ *viaggiare* ♦ *vendere* ♦ *volere*

1. Luisa, da quanti anni .................................... l'università?
2. Ragazzi, ....................................? Maria parte per l'Erasmus!
3. Io non .................................... perché non vuoi venire a teatro.
4. Mamma, .................................... il latte ieri?
5. Fabrizio e Nicola .................................... molto.
6. Per il suo compleanno, Mario non .................................... regali.
7. .................................... la macchina e adesso usiamo i mezzi pubblici.
8. Alla festa di Emilio, Luisa e io .................................... una torta molto buona.

**3** **Insert the past participle of the verbs and complete the sentences by matching them with the phrases on the right.**

1. L'estate scorsa Eva e Lisa sono .......................... (partire)
2. Piero è .......................... (uscire) alle
3. L'altro ieri Paola è .......................... (andare) in
4. Aldo e Luca sono .......................... (tornare) tre giorni fa
5. Siamo .......................... (stare) tutta la sera
6. Vincenzo è .......................... (entrare) in classe
7. Laura, sei .......................... (salire) sul
8. Le ragazze sono .......................... (arrivare) con

a. tram senza biglietto?
b. con 15 minuti di ritardo.
c. sei di mattina.
d. piscina.
e. da Parigi.
f. per il Marocco.
g. a casa a leggere.
h. il treno delle otto.

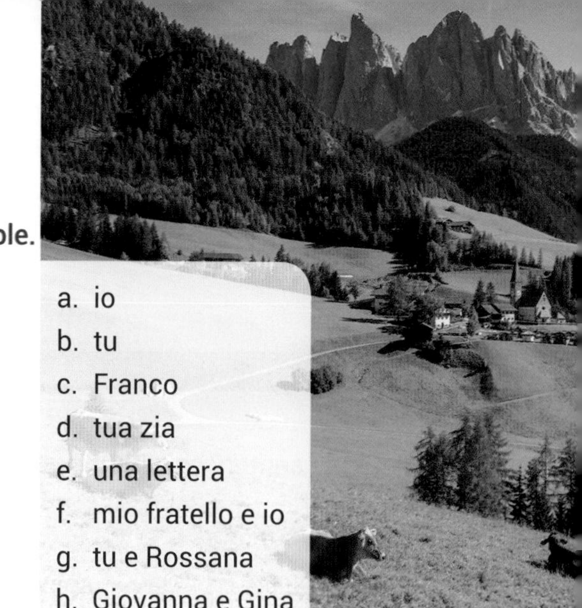

**4** **Who was it? Complete the matching activity, as in the example.**

1. Sabato scorso siamo andati in montagna. *(f)*
2. Sono restato tutto il giorno a casa.
3. È arrivata con la posta di ieri.
4. È andato ad aprire la porta.
5. Siete usciti con Piero ieri sera?
6. Sei stato al mare domenica?
7. È tornata subito a casa per prendere il cellulare.
8. Sono partite molto tardi.

a. io
b. tu
c. Franco
d. tua zia
e. una lettera
f. mio fratello e io
g. tu e Rossana
h. Giovanna e Gina

**5** **Complete the sentences, as in the example in blue.**

*partire la settimana scorsa* ♦ *uscire a fare spese* ♦ *andare al cinema* ♦ *arrivare da poco in Italia*
*studiare molto per l'esame di domani* ♦ *mangiare un panino* ♦ *dormire molto* ♦ *trovare traffico*

Simone è tranquillo perché *ha studiato molto per l'esame di domani.*

1. I ragazzi tornano a casa più tardi perché ..........
2. Siete stanchi perché non ..........
3. Sono andato al bar per pranzo e ..........
4. Mustafà non conosce bene la lingua italiana perché ..........
5. I signori Dardano sono in vacanza: ..........
6. Bruna ha la gonna e gli stivali nuovi: ieri ..........
7. Siamo in ritardo perché ..........

**6** **Complete the sentences with a verb in the *passato prossimo*, as in the example.**

1. Dopo la lezione di pianoforte torno sempre a casa con Massimiliano, ma ieri *sono tornato* a casa in tram.
2. L'autobus passa tutte le mattine alle sette. Ieri mattina, però, .......... con quaranta minuti di ritardo.
3. Marta e Giorgio, ogni sabato sera, vanno in discoteca e ballano fino alle 5. Anche sabato scorso, Marta e Giorgio .......... in discoteca e .......... fino alle 5.
4. Giulia resta a casa tutto il giorno. Anche ieri Giulia .......... a casa tutto il giorno.
5. Oggi comincia il corso di lingua tedesca. Due giorni fa .......... il corso di lingua giapponese.
6. Michele finisce di lavorare alle 16, io finisco alle 15.45. Di solito aspetto Michele al bar sotto l'ufficio, ma ieri non .......... Michele perché lui .......... di lavorare dopo le 17.

**7** Choose the correct option.

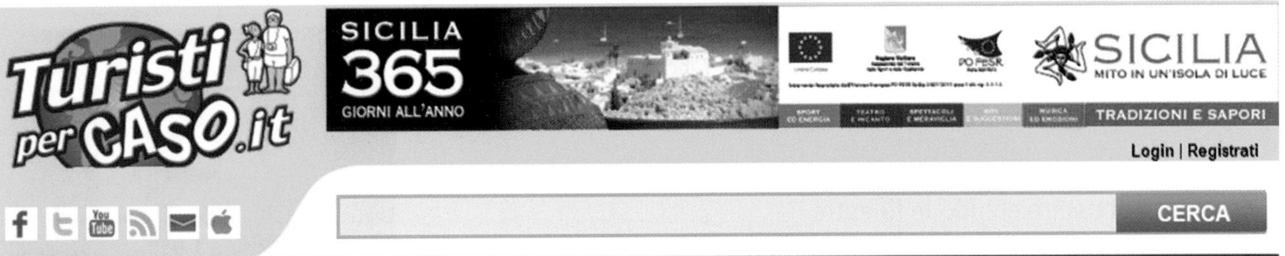


**In evidenza**

Questo fine settimana io e Veronica abbiamo fatto una breve vacanza. Sabato siamo partiti per Bologna con il treno delle 17 e siamo arrivati dopo/poi/prima (1) circa 3 ore. Prima di/Così/Subito (2) andare a mangiare, abbiamo lasciato le valigie in albergo. Più tardi/Alla fine/Dopo (3) cena abbiamo camminato per il centro, abbiamo visto Piazza Maggiore, la Fontana del Nettuno e le Due Torri. Stamattina/Prima/Poi (4) verso l'una siamo andati a dormire. Domenica mattina, per prima cosa/più tardi/prima di (5) abbiamo fatto colazione in albergo e dopo/prima/così (6) siamo andati a visitare il Museo Ducati. Dopo/Poi/Alla fine (7) il museo, abbiamo visitato il Duomo di Bologna, la Chiesa di San Petronio e, verso le 14, abbiamo mangiato in un ottimo ristorante; la sera abbiamo visto uno spettacolo al Teatro Duse... siamo stati così bene che alla fine/dopo/prima (8) non siamo partiti domenica sera, ma lunedì mattina!

**8 a** Rewrite the sentences. Substitute the parts in green with *ci*, as in the example.

Vado in Italia ogni anno in estate.
*Ci vado ogni anno in estate.*

1. Vado in palestra tutti i giorni.
   ..............................
2. Vivo a Roma da tre anni.
   ..............................
3. Mangio al ristorante "Da Pino" la domenica con i miei amici.
   ..............................
4. Sono andata tutte le domeniche allo stadio.
   ..............................
5. Vado al concerto di Jovanotti con Maria.
   ..............................
6. Ho messo nello zaino i panini e il caffè.
   ..............................

**b** Complete the answers with *ci* and the correct form of the verb.

1. • Siete rimasti molto a Venezia?
   • No, .................... solo pochi giorni.
2. • Sei già andato alla mostra di Depero?
   • Sì, .................... sabato.
3. • Chi abita nell'appartamento al terzo piano?
   • .................... dei ragazzi spagnoli.
4. • Cosa hai messo nella borsa?
   • .................... solo alcuni libri.
5. • Perché vivi in centro?
   • .................... perché così non devo usare la macchina.
6. • Passate molto tempo in piscina?
   • No, .................... solo 2 ore.
7. • Quando sei andata in Svizzera?
   • .................... a febbraio.

**9** Change the sentences to the *passato prossimo*.

1. I signori Motta vincono un viaggio a Venezia!
   ..........
2. Marco legge il giornale in salotto.
   ..........
3. Prima di uscire chiudo le finestre.
   ..........
4. Mario viene a Torino in giugno.
   ..........
5. Spendiamo molti soldi in libri.
   ..........
6. Suono il pianoforte all'aeroporto di Roma.
   ..........
7. Serena vede tutti i film di Fellini!
   ..........
8. Scrivo una mail a Lia e spengo il computer.
   ..........

**10** Complete the article with the *passato prossimo* of the verbs.

SEZIONI | EDIZIONI LOCALI | CORRIERE TV | ARCHIVIO | TROVOCASA | TROVOLAVORO | SERVIZI | CERCA | LOGIN | ABBONATI | PER TE

**CORRIERE DELLA SERA**

Meteo: Milano | 7°

### Turista sale sulla Fontana di Trevi

ROMA – Un turista, un signore italiano di 40 anni, .......... (1. scegliere) la Fontana di Trevi per passare il suo tempo libero.

L'uomo .......... (2. salire) sulla fontana, .......... (3. fare) delle telefonate con il cellulare, .......... (4. mangiare) un panino e .......... (5. cominciare) a leggere un libro...

Un quarto d'ora dopo, verso le 2, .......... (6. arrivare) i carabinieri, poi anche i vigili del fuoco, che .......... (7. chiedere) all'uomo di scendere, ma lui .......... (8. rimanere) sulla fontana ancora due ore e quando, finalmente, .......... (9. scendere), ha detto: «Nessun problema, sono professore di storia dell'arte...».

adattato da *www.corriere.it*

**11** Put the words in order to create sentences. Start with the highlighted words.

1. la | ho | Torino | settimana | visitato | scorsa
.................................................................................................................................................
2. mia famiglia | fa | cambiato | io e la | casa | 15 anni | abbiamo
.................................................................................................................................................
3. di Genovesi | uscito | nel | scorso | film | novembre | l'ultimo | è
.................................................................................................................................................?
4. le | aprono a | giugno | scuole | a | chiudono | settembre e
.................................................................................................................................................
5. è | gennaio | nel | nato | 1985 | del | Elio | lo zio
.................................................................................................................................................
6. dicembre | perché | cinema Astra | chiudono il | in
.................................................................................................................................................?
7. il caffè "Al Bicerin" | nato | tempo | fa | è | molto | di Torino
.................................................................................................................................................
8. di giardinaggio | prossimo | mese | il | faccio | lezioni | delle
.................................................................................................................................................

**12** Choose the correct option.

1. Per me la matematica è appena/sempre/mai stata difficile.
2. Non ho sempre/poi/mai visto un film così bello!
3. Il mese non è ancora/già/anche finito e noi abbiamo ancora/già/dopo speso tutti i soldi!
4. È partito e da quel momento non ha più/già/fa scritto o telefonato.
5. Ho ancora/dopo/appena finito di parlare con il direttore del tuo problema.
6. Qualche giorno fa/appena/più sono passata da Marinella per un caffè.

**13** Complete the matching activity, as in the example in blue.

1. listino
2. caffè
3. cappuccino
4. tiramisù
5. spremuta d'arancia
6. bibita in lattina
7. cornetto
8. panino

**14** Complete the dialogue. Insert the verbs in the red spaces and the nouns in the blue spaces.

*panino ♦ prendi ♦ caffè ♦ vorrei ♦ fame ♦ lattina*
*c'è ♦ gelato ♦ prendo ♦ spremuta d'arancia*

*cameriera:* Buongiorno, cosa prendete?
*Luisa:* Mario, tu cosa .................................. (1)?
*Mario:* Non so, non ho ancora deciso... .................................. (2) il listino? Dov'è?
*Barbara:* Ecco, è qui!
*Mario:* Grazie! Allora... io .................................. (3) mangiare qualcosa: un .................................. (4) con mozzarella e pomodoro e da bere un'aranciata.
*Luisa:* E tu, Piero?
*Piero:* Io prendo solo una .................................. (5), ho una sete...
*Luisa:* Va bene... E tu Barbara, hai .................................. (6)?
*Barbara:* No, grazie! .................................. (7) solo un .................................. (8).
*Mario:* Ehm, scusi. Per me l'aranciata non in .................................. (9), ma in bottiglia.
*Luisa:* E per me... un .................................. (10) al cioccolato.
*cameriera:* D'accordo, grazie!

**15 a** Two couples (Alberto and Valeria – dialogue 1; Giulio and Alessia – dialogue 2) are at a coffee shop. Listen to both dialogues and mark what they ordered.

28

| | Alberto | Valeria | Giulio | Alessia |
|---|---|---|---|---|
| caffè | | | | |
| cappuccino | | | | |
| caffè macchiato | | | | |
| cioccolata | | | | |
| toast | | | | |
| panino con pomodoro e mozzarella | | | | |
| tramezzino con prosciutto e mozzarella | | | | |

| | Alberto | Valeria | Giulio | Alessia |
|---|---|---|---|---|
| succo di frutta | | | | |
| spremuta d'arancia | | | | |
| bibita in lattina | | | | |
| bottiglia d'acqua naturale | | | | |
| birra alla spina | | | | |
| cornetto | | | | |
| pezzo di torta | | | | |
| gelato | | | | |

La bottega del Caffè

**b** **Listen again and mark the statements as true (V) or false (F).**

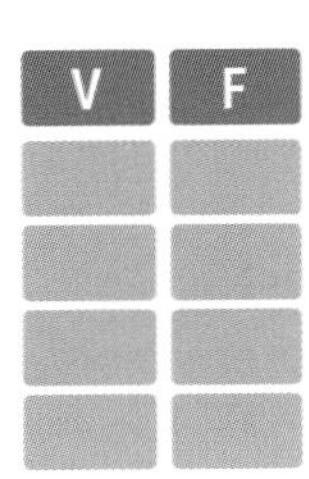

| | V | F |
|---|---|---|
| 1. Valeria non mangia spesso cioccolato. | | |
| 2. Alberto ha molta fame. | | |
| 3. Giulio ha già bevuto un caffè. | | |
| 4. Alessia preferisce il caffè lungo. | | |

**16** **Complete the matching activity.**

1. Le ragazze non sono
2. Sono stato male e non sono potuto
3. Abbiamo dovuto
4. Perché non sei
5. Stefano è
6. Professore, perché ha dovuto
7. Siamo dovuti
8. Lucia, perché ieri non hai

a. spedire i test di italiano a Perugia?
b. voluto mangiare il panino al prosciutto?
c. dovuto partire da solo.
d. andare alla lezione di inglese.
e. chiedere informazioni per trovare casa tua.
f. volute rimanere dopo cena.
g. tornare presto perché domani andiamo a scuola.
h. voluta venire con me a teatro?

**17** **Change the sentences to the *passato prossimo*.**

1. Monica e Ida vogliono andare in biblioteca a piedi.
.................................................................................................
2. Antonia vuole comprare un divano nuovo.
.................................................................................................
3. Per il tuo amico non posso fare niente!
.................................................................................................
4. Vogliamo vedere tutto il film.
.................................................................................................
5. Per andare al lavoro deve prendere l'autobus.
.................................................................................................
6. Luisa deve rimanere a casa per studiare.
.................................................................................................
7. Giancarlo non può tornare per l'ora di cena.
.................................................................................................
8. Elisabetta deve passare da Mario.
.................................................................................................

**18** Create short stories with the following information.

1. Mio fratello | vivere molto tempo estero | abitare dieci anni Stati Uniti | otto anni Cina

 ..........................................................................................................................................

 ..........................................................................................................................................

2. Ieri | bar sotto casa | incontrare Nicola | prendere caffè insieme | andare in giro negozi | Nicola comprare dei libri | io non comprare niente

 ..........................................................................................................................................

 ..........................................................................................................................................

3. Questa mattina | sciopero mezzi trasporto | ma noi non restare a casa | telefonare Piero | andare in ufficio sua macchina

 ..........................................................................................................................................

 ..........................................................................................................................................

**19** Complete the paragraph with the prepositions.

Abito .............. (1) Bologna .............. (2) più di 10 anni. Lavoro .............. (3) centro, in un bar. Lavoro cinque giorni .............. (4) settimana, dal martedì .............. (5) sabato. Il sabato lavoro .............. (6) 10 .............. (7) 18; gli altri giorni, invece, inizio prima. Vado al lavoro .............. (8) piedi perché non abito molto lontano .............. (9) bar. Il sabato sera e la domenica spesso vado al cinema, .............. (10) teatro o a cena fuori con gli amici.

**20** Fill in the blue spaces with the *passato prossimo*, the green spaces with the present tense, and the highlighted spaces with the words and expressions provided.

| *con* |
|---|
| *alla fine* |
| *fra* |
| *vicino* |

Da lì parte una strada che .................................. (1. portare) a un piccolo ristorante, si chiama Ungheria, e dentro .................................. (2. esserci) una bella donna .................................. (3) il suo uomo: non .................................. (4. sapere, loro) bene l'italiano e .................................. (5) loro parlano ungherese. Una sera, un uomo di circa sessant'anni .................................. (6. entrare) nel ristorante, .................................. (7. andare) a un tavolo .................................. (8) alla finestra e .................................. (9. ordinare) da mangiare.

.................................. (10) della cena, l'uomo .................................. (11. prendere) un caffè corretto e senza salutare .................................. (12. uscire).

adattato da *Il filo dell'orizzonte* di A. Tabucchi

**21** Choose the correct option.

Il Caffè Gustavo è un piccolo bar nel centro/ufficio/festival (1) della città. La mattina, molte persone ci vanno a fare cena/colazione/appuntamento (2). Con il caffè o il cornetto/cappuccino/violino (3) potete mangiare i dolci della mamma di Gustavo. A mezzogiorno è possibile mangiare un tramezzino/aperitivo/pizza (4) o un panino. La sera, quando c'è musica jazz, al Caffè Gustavo c'è sempre tanta mensa/concerto/gente (5), soprattutto ragazzi.

**A** **Complete the paragraph with the correct forms of *essere* or *avere*.**

Ieri mattina Massimo .................... (1) voluto fare un giro per le strade del centro. .................... (2) preso l'autobus 19A ed .................... (3) sceso dopo dodici fermate, in Piazza Garibaldi. È qui che Massimo .................... (4) incontrato Carla. Insieme .................... (5) entrati al bar "Orlando". Massimo .................... (6) preso un caffè e un pezzo di torta al cioccolato, Carla, invece, .................... (7) bevuto una spremuta d'arancia e .................... (8) mangiato un tramezzino al prosciutto cotto. Verso mezzogiorno, Carla .................... (9) dovuta andare via e Massimo .................... (10) potuto continuare il suo giro in centro.

**B** **Choose the correct answer.**

1. Giacomo ....... (1) da Parigi dove ....... (2) un appartamento.

| (1) | | (2) | |
|---|---|---|---|
| | a. ha tornato | | a. è comprato |
| | b. è tornata | | b. ha comprato |
| | c. è tornato | | c. ha comprata |

2. L'ultimo autobus ....... (1) 10 minuti fa, per questo ....... (2) il taxi.

| (1) | | (2) | |
|---|---|---|---|
| | a. ha passato | | a. siamo presi |
| | b. passa | | b. abbiamo preso |
| | c. è passato | | c. è preso |

3. Alfonso ....... (1) subito Lucia quando ....... (2) del nuovo lavoro.

| (1) | | (2) | |
|---|---|---|---|
| | a. ha chiamato | | a. ha saputo |
| | b. è chiamato | | b. abbiamo saputo |
| | c. chiama | | c. avete saputo |

4. Ragazzi, perché ....... (1) salire sul treno non ....... (2) il biglietto?

| (1) | | (2) | |
|---|---|---|---|
| | a. prima di | | a. convalidano |
| | b. prima | | b. siete convalidati |
| | c. dopo | | c. avete convalidato |

5. Il fratello di Lorenzo è nato ....... (1) del 1998; la sorella, che è più piccola, è nata ....... (2).

| (1) | | (2) | |
|---|---|---|---|
| | a. nel 23 marzo | | a. a giugno 1990 |
| | b. 23 marzo | | b. il giugno del 1990 |
| | c. il 23 marzo | | c. nel giugno del 2005 |

6. Maria, ....... (1) alla festa che hanno fatto all'università ....... (2)?

| (1) | | (2) | |
|---|---|---|---|
| | a. sei andata | | a. la settimana scorsa |
| | b. hai andato | | b. settimana fa |
| | c. sei andato | | c. settimana passata |

7. • Francesco, hai ....... (1) ordinato?
   • No! Io vorrei bere un ....... (2) E tu, Paola?
   • Prendo un panino e una spremuta!

   (1) a. sempre — b. ancora — c. già
   (2) a. cappuccino — b. gelato — c. tramezzino

8. I ragazzi non ....... (1) fare gli esercizi perché ....... (2) andare dal medico.

   (1) a. sono dovuto — b. hanno potuto — c. hanno saputo
   (2) a. sono dovuti — b. hanno voluto — c. siete potuti

**C** Solve the crossword.

**Orizzontali**

5. Musica, canzoni dal vivo.
6. Luogo dove mangiano gli studenti universitari.
7. Un espresso con un po' di latte.
8. Posto dove vedere opere d'arte.
9. Se abbiamo sete, prendiamo una ... : può essere in bottiglia o in lattina.

**Verticali**

1. Una bottiglia d'acqua minerale ... .
2. Un panino al bar: ... e mozzarella.
3. Può essere bionda, chiara, scura; in bottiglia o alla spina.
4. Insieme alla mozzarella, è necessario per la pizza Margherita!

Risposte giuste: ......... /35

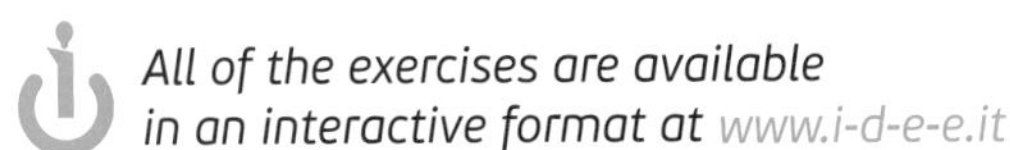
All of the exercises are available in an interactive format at www.i-d-e-e.it

# Tempo di vacanze

Glossary p. 178



**1** *Oggi è domenica 20 novembre.* **Study the agenda and complete the sentences with the expressions provided.**

*Fra una settimana ♦ Venerdì*
*Dopodomani ♦ Sabato*
*Il 30 dicembre ♦ Domani*
*A Capodanno ♦ Il mese prossimo*

1. ................................................ inizierò il corso di inglese.
2. ................................................ darò l'esame di Storia dell'arte.
3. ................................................ uscirò: vado a cena con i miei compagni.
4. ................................................ resterò a casa a studiare.
5. ................................................ andrò al cinema con Gino e Maria.
6. ................................................ passerò qualche giorno da mia sorella Pina a Firenze.
7. ................................................ visiterò gli Uffizi.
8. ................................................ partirò per la montagna.

NOVEMBRE
21 Lunedì inizio corso inglese
22 Martedì esame storia dell'arte
23 Mercoledì
24 Giovedì
25 Venerdì cena con i compagni
26 Sabato studiare!
27 Domenica cinema con Gino e Maria
28 Lunedì
29 Martedì
30 Mercoledì
DICEMBRE
1 Giovedì
2 Venerdì
3 Sabato
4 Domenica
5 Lunedì
6 Martedì
7 Mercoledì
8 Giovedì
9 Venerdì
10 Sabato
11 Domenica
12 Lunedì
13 Martedì
14 Mercoledì
15 Giovedì
16 Venerdì
17 Sabato
18 Domenica
19 Lunedì
20 Martedì
21 Mercoledì
22 Giovedì
23 Venerdì
24 Sabato
25 Domenica
26 Lunedì
27 Martedì da Pina!
28 Mercoledì Pina
29 Giovedì Pina
30 Venerdì Uffizi
31 Sabato
GENNAIO
1 Domenica montagna
2 Lunedì
3 Martedì
4 Mercoledì
5 Giovedì
6 Venerdì
7 Sabato
8 Domenica


**2** **Match the phrases to complete the sentences.**

1. Se finirai presto di lavorare
2. Maria passerà l'esame
3. A Capodanno festeggeremo
4. Al mare prenderò
5. A Milano io e Giulia visiteremo
6. Lucia andrà in campeggio e

a. la mostra di Burri a Palazzo Reale.
b. faremo una passeggiata in centro.
c. il sole tutto il giorno!
d. perché ha studiato molto.
e. dormirà in tenda? Davvero?!
f. con i parenti del mio ragazzo.

**3** Choose the correct option.

1. Con questo traffico, se non esci subito, perderò/perderai/perderanno il treno.
2. Marco cambieranno/cambierà/cambierai appartamento perché il suo è piccolo.
3. Quest'estate io e la mia famiglia passerà/passeranno/passeremo le vacanze al mare.
4. Ho fatto la pizza perché i ragazzi torneranno/tornerò/torneremo per cena.
5. Sabato prossimo Giulio e io giocherò/giocherà/giocheremo a tennis.
6. Oggi tu e papà finiremo/finiranno/finirete presto di lavorare?
7. Zio, per andare a Roma, tu prenderò/prenderanno/prenderai il treno o l'aereo?
8. Io leggerò/leggerà/leggeranno il tuo libro questo fine settimana.

**4** Complete the sentences with the future form of the verbs.

1. La settimana prossima .......................... (scrivere) una lunga mail a mio fratello.
2. Il festival .......................... (ospitare) un famoso pianista.
3. La prossima estate Luisa e Ada .......................... (partire) per un bellissimo viaggio in Europa.
4. Io e Lia domani mattina .......................... (uscire) alle 6 per andare a correre al parco.
5. Stasera lo spettacolo .......................... (finire) alle undici.
6. Ah! Finalmente domani .......................... (arrivare) la primavera!
7. Stasera .......................... (ascoltare) anche voi il nuovo programma di Radio 2?
8. Domani, Simone .......................... (andare) a teatro e .......................... (vedere) una commedia.

**5** Complete the sentences with the future form of the verbs provided.

*andare* ♦ *cominciare* ♦ *dare* ♦ *essere* ♦ *fare (2)* ♦ *restare* ♦ *avere*

1. Anche se è settembre, il tempo è ancora bello: io e i bambini .......................... ancora due o tre giorni qui al mare.
2. Ragazzi, che regalo .......................... a Marta? Domani è il suo compleanno.
3. Se non puoi partire adesso, noi .......................... questo viaggio un'altra volta.
4. Se non hanno studiato abbastanza, Marco e Giulia .......................... l'esame di Storia il mese prossimo.
5. Sono già le otto: i ragazzi .......................... fame!
6. Il libro di Pavese? .......................... nello studio, sulla scrivania.
7. Quest'estate Giovanna .......................... un mese in Inghilterra, a Brighton, per un corso di inglese.
8. A settembre io .......................... un corso di lingua giapponese.

**6** **Complete the dialogue with the future form of the verbs provided.**

*visitare* ♦ *fare* ♦ *potere* ♦ *partire* ♦ *tornare* ♦ *mangiare*
*dormire* ♦ *telefonare* ♦ *venire* ♦ *suonare* ♦ *prenotare*

- Pronto, Luca? Sono io, Matteo. Come stai?
- Oh, ciao Matteo! Tutto bene, grazie. Tu?
- Bene, grazie. Io, Giovanni e Marco .................................. (1) una breve gita a Roma. Vuoi venire con noi?
- Che bella idea! Non vado a Roma da molti anni. Quando? Avete già fatto un programma?
- Allora... È l'ultimo fine settimana di marzo: .................................. (2) venerdì subito dopo il lavoro e .................................. (3) lunedì sera. Per il programma... beh, sicuramente .................................. (4) il centro; poi sabato sera Mannarino .................................. (5) in un bar a San Lorenzo e... beh, .................................. (6): lo sai, no, che Giovanni ama la cucina tipica!
- Mannarino in concerto?! Beh, allora non posso mancare! Ma dove .................................. (7)?
- Stasera .................................. (8) a mia cugina Maddalena che studia a Roma. Magari .................................. (9) stare da lei... oppure .................................. (10) un appartamento con due camere. Allora? Che dici? .................................. (11)?
- Certo! Prenota tutto anche per me Luca, grazie!

**7** **Complete the answers by choosing an appropriate expression and conjugating the verb in the future, as in the example.**

*essere americani* ♦ *bere un caffè* ♦ *dormire già da un po'* ♦ *studiare l'ultimo giorno*
*rimanere a casa* ♦ *essere dal dottore* ♦ *volere andare a Venezia* ♦ *avere più di vent'anni*

1. - Ho provato a chiamare Angela, ma non risponde.
   - Non so, ieri non è stata bene, *sarà dal dottore*...
2. - Ha chiamato Giacomo. Ha detto che chiamerà più tardi. Ha parlato di una gita.
   - Ah sì, .................................................................. questo weekend.
3. - Ho invitato Cesare al cinema, ma mi ha detto di no! Tu sai che cosa fa stasera?
   - ..................................................................: di solito non esce la domenica sera.
4. - Secondo te, di dove sono i turisti?
   - Chissà, ..................................................................
5. - Dino ha un esame la settimana prossima e non ha ancora aperto un libro!
   - .................................................................., come sempre.
6. - Hai visto Ines, la ragazza di Fabio, hai visto com'è giovane?!
   - Sì, non ..................................................................
7. - E Rosa? Non c'è?
   - No, a quest'ora, secondo me, ..................................................................
8. - Allora, io prendo un caffè, tu un cappuccino e... Mario? Cosa prende?
   - Mah, .................................................................. anche lui, no?

**8** **What will life be like in 50 years? Write descriptions, as in the example in blue.**

essere | città più pulite | senza smog ➜ *Le città saranno più pulite e senza smog.*

1. esserci | grandi città | piccoli paesi

   ..............................................................................

   ..............................................................................

2. abitare | case piccole | tecnologiche

   ..............................................................................

   ..............................................................................

3. usare | in città | solo biciclette | mezzi pubblici | viaggi lunghi | treni veloci

   ..............................................................................

   ..............................................................................

4. non esserci | auto a benzina | esserci solo auto elettriche

   ..............................................................................

   ..............................................................................

5. lavorare meno | avere | tempo libero essere | meno stressati

   ..............................................................................

   ..............................................................................

6. persone | vivere | di più

   ..............................................................................

**9** **Complete the phrases with the future form of the verbs and match the phrases to complete the sentences.**

1. Secondo me, se .............................. (bere) molte
2. Sì, è vero, non faccio sport... domani
3. Se passerà l'esame, Lucia lavorerà e
4. Se andremo a Rimini per Natale,
5. Appena .............................. (sapere) che l'esame è a luglio,
6. Io e la mamma andremo a fare spese con Silvia,
7. Hai sentito? Lunedì non ci saranno treni...

a. .............................. (vivere) a Roma per 3 anni.

b. Chissà! .............................. (esserci) uno sciopero!

c. se .............................. (tenere) tu i bambini domani.

d. spremute d'arancia, starai molto meglio!

e. .............................. (venire) in palestra con te!

f. i miei compagni studieranno giorno e notte!

g. io e mio fratello .............................. (vedere) Mara e Federica!

**10** Match the sentences with the drawings and write what Pietro will do today, as in the example in blue.

a. ore 18 andare palestra
b. prendere autobus; arrivare ufficio ore 9
c. pranzo, mangiare qualcosa con collega
d. ore 21, cenare, casa, Cinzia
e. aprire finestra, preparare caffè
f. accendere radio, fare colazione
g. fare doccia
h. ore 8:15 uscire di casa

1. *Farà la doccia.*
2. ..................
3. ..................
4. ..................
5. ..................
6. ..................
7. ..................
8. ..................

**11** Put the lines of the dialogue in order.

*Viaggiatore*

☐ Ecco a Lei. Ah, e da che binario parte?
3 Preferisco l'Intercity.
☐ No, solo andata. Quant'è?
☐ Perfetto, grazie. Buon pomeriggio!
☐ Buongiorno, vorrei andare a Napoli.

*Impiegato*

☐ Buongiorno. Allora... c'è un Frecciarossa alle 17.10 e un Intercity alle 17.30.
☐ Per un posto in seconda classe sono 27 euro.
4 Certo. Andata e ritorno?
☐ Dal binario 12.
☐ Buon viaggio!

**12** Complete the short dialogues with the words provided.

*vicino* ♦ *controllore* ♦ *carrozza* ♦ *prima classe* ♦ *biglietteria*

1. • Buongiorno, scusi, dov'è la .................................. (1)?
   • Lì a destra, .................................. (2) al bar.
   • Grazie!
2. • Scusa, sai dov'è la .................................. (3) 11?
   • Mmh... sarà in fondo al treno...
   • No, lì ci sono le carrozze di .................................. (4).
   • Allora, non lo so. Perché non chiedi al .................................. (5)?
   • Sì, grazie!

**13** Complete the matching activity to create sentences, as in the example.

1. Non appena avrò preso la laurea, (*f*)
2. Solo dopo che avrete letto il libro,
3. Potremo uscire a fare una passeggiata,
4. Quando il professore avrà spiegato l'uso del futuro composto,
5. Se tra mezz'ora Aldo non sarà arrivato,
6. Appena avranno deciso la data,
7. Non posso rispondere, ti telefonerò
8. Solo quando avrete aperto il pacco,

a. non avrai più nessun dubbio.
b. andremo al ristorante senza di lui.
c. appena sarò arrivato a casa.
d. chiederanno un giorno di permesso.
e. capirete perché è così famoso.
f. cercherò lavoro.
g. scoprirete qual è il regalo.
h. solo dopo che avremo fatto gli esercizi.

**14** Use *dopo che*, *quando* and *appena* to change the sentences, following the example.

Tornerà Teresa e daremo una festa.
*Quando (Appena/Dopo che) sarà tornata Teresa, daremo una festa.*

1. Arriveremo in albergo e faremo una doccia.

   ..........................................................................................

2. Domani vedrò Lia e poi andrò a cena con i miei cugini.

   ..........................................................................................

3. Finirete di studiare e potrete uscire.

   ..........................................................................................

4. Vedrò lo spettacolo e uscirò a bere qualcosa.

   ..........................................................................................

5. Sabato i Martini faranno la spesa e poi puliranno casa.

   ..........................................................................................

6. Arriverò a casa e preparerò la cena.

   ..........................................................................................

**15** Complete the sentences with the simple future or future perfect form of the verbs.

1. Se .................. (venire, tu) a Siena per le vacanze .................. (potere, noi) visitare anche i paesi vicini!
2. Mi dispiace, non .................. (potere, io) continuare il corso: il prossimo mese .................. (andare) a vivere all'estero.
3. Appena Emma .................. (dare) anche l'esame orale, .................. (andare) in vacanza al mare con i nonni e con i cugini.
4. Appena .................. (andare, noi) a vivere nel nuovo appartamento di via del Fossato, .................. (invitare) a cena i nostri ex compagni di università.
5. Non è ancora arrivato Giovanni? Chissà... .................. (perdere) l'autobus.
6. .................. (telefonare, io) a Elena, quando il film .................. (finire).
7. Non amiamo viaggiare in aereo, per questo .................. (prendere) il treno anche se .................. (arrivare) più tardi.
8. Dopo che Lucia .................. (tornare) dal prossimo viaggio di lavoro, .................. (fare) un viaggio insieme in Francia.

**16** *Che tempo fa?* Match the expressions with the images.

1 ☐

2 ☐

3 ☐

4 ☐

5 ☐

a. Fa caldo.
b. Piove.
c. È nuvoloso.
d. Tira vento.
e. C'è la nebbia.

**17** Complete the dialogue with the prepositions and indefinite articles.

- Questo fine settimana sono andata .............. (1) Camilla, a Padova. Sabato abbiamo fatto .............. (2) giro in centro e poi, verso le 8, siamo andate .............. (3) mangiare in .............. (4) ristorante vegano fuori città... È di un attore famoso...
- Ma dai! Vegano! Avete mangiato bene?
- Sì, tutto buonissimo, mi è piaciuto molto! Ma è stata .............. (5) cena veloce perché Camilla ha proposto .............. (6) andare a vedere .............. (7) film...
- Ah, e che film avete visto?
- Nessun film! Siamo arrivate tardi .............. (8) cinema e non siamo potute entrare!

**18** Gianna is on the phone with a friend. Complete the text with the following expressions:

*un sacco di* ♦ *in partenza* ♦ *appena* ♦ *le specialità* ♦ *vado a trovare*
*ho troppi bagagli* ♦ *è sereno* ♦ *mi dispiace*

Pronto Luca, ciao! Tutto bene, grazie. No, non ho visto il tuo messaggio... Ah, per pranzo? .............................................. (1), non posso, sono in aeroporto: sono .............................................. (2) per la Sicilia. Sì, sì, .............................................. (3) mio fratello. Il volo parte tra un'ora, ora faccio il check-in. No, non ho fatto il check-in on line perché .............................................. (4)! No, no, niente vestiti: in valigia ci sono .............................................. (5) cose buone! Cosa dici? Ahahaha! Ma certo che ci sono .............................................. (6) anche al Nord! Come sarà il tempo? Esagerato! Non andrò al mare! Sì, a Palermo .............................................. (7), ma fa freddo... Certo, .............................................. (8) sarò tornata, andremo a bere un caffè!

**19** Listen to the dialogue and choose the correct answer.

33

1. Paola e suo marito parlano
   a. a Capodanno
   b. prima di Natale
   c. dopo l'Epifania
2. L'uomo vuole andare
   a. in palestra
   b. al mare
   c. in montagna
3. Il viaggio per Rio de Janeiro costa in tutto
   a. 2.400 euro
   b. 1.100 euro
   c. 2.000 euro
4. La donna vuole andare a Rio de Janeiro
   a. per fare qualcosa di diverso
   b. per vedere parenti lontani
   c. perché non sa sciare
5. All'uomo non piace l'idea di passare le feste a Rio perché
   a. il viaggio costerà un sacco di soldi
   b. non vuole prendere l'aereo
   c. preferisce andare a sciare

**A** Complete the text with the simple future or perfect future form of the verbs.

*partire ♦ arrivare ♦ chiudere ♦ rimanere ♦ parlare*
*prendere ♦ avere ♦ fare ♦ tornare ♦ vedere*

Tra un mese sarà Pasqua: le scuole .................................... (1) per due settimane e i miei genitori .................................... (2) qualche giorno di vacanza e così tutti insieme, io, loro e le mie sorelle, .................................... (3) un bel viaggio all'estero, in Italia!
Abbiamo già un programma... Allora, non appena .................................... (4) all'aeroporto di Roma, a Fiumicino, .................................... (5) il treno per Napoli. A Napoli visiteremo la città, Pompei e l'isola di Capri. Dopo due giorni .................................... (6) per la Toscana.
Alla fine, dopo che .................................... (7) Firenze e Siena, .................................... (8) a Roma, dove .................................... (9) qualche giorno. Non vedo l'ora di partire! Sono sicura che sarà una bella esperienza per tutti e che io, finalmente, .................................... (10) un po' l'italiano!

**B** Choose the correct answer.

1. Ho sentito che domani il tempo non ...... (1) bello e che ...... (2) su tutta la penisola.

| (1) | | (2) | |
|---|---|---|---|
| | a. sarò | | a. pioverà |
| | b. sarà | | b. pioverò |
| | c. sarai | | c. pioverai |

2. Se il treno ...... (1) in ritardo a Bologna, ...... (2) il Frecciarossa per Milano.

| (1) | | (2) | |
|---|---|---|---|
| | a. arriverai | | a. perderemo |
| | b. sarà arrivato | | b. avremo perso |
| | c. arriverà | | c. abbiamo perso |

3. Quando ...... (1) a Roma, ...... (2) da mia cugina Mara che non vedo da qualche anno.

| (1) | | (2) | |
|---|---|---|---|
| | a. andremo | | a. passerete |
| | b. verremo | | b. passerò |
| | c. passeremo | | c. passeranno |

4. Quest'anno abbiamo vinto noi la ...... (1) di Capodanno...
Chissà chi ...... (2) l'anno prossimo!

| (1) | | (2) | |
|---|---|---|---|
| | a. tombola | | a. vinceranno |
| | b. colomba | | b. vincerà |
| | c. Befana | | c. vincono |

5. • Scusi, sa a che ...... (1) parte il treno per Bologna?
• No, mi dispiace. Perché non chiede in ...... (2)?

| (1) | | (2) | |
|---|---|---|---|
| | a. binario | | a. controllore |
| | b. ora | | b. carrozza |
| | c. costo | | c. biglietteria |

6. A che ora ...... (1) ieri notte? Mah... ...... (2) le due, non più tardi...

(1) a. torno
b. tornerò
c. sono tornato

(2) a. saranno stati
b. saranno state
c. saranno

7. Non appena ...... (1) la partita, ...... (2) un messaggio a Luca!

(1) a. sarà finita
b. finiranno
c. è finita

(2) a. avrò mandato
b. manderò
c. mando

8. Hanno detto che questa sera ci sarà un brutto ...... (1) e domani ...... (2) freddo.

(1) a. sereno
b. nuvoloso
c. temporale

(2) a. avrà fatto
b. farà
c. ha fatto

**C** Solve the crossword.

**Orizzontali**

4. L'Intercity per Milano è in partenza dal ... 12.
6. La festa delle maschere.
7. Oggi non piove, ma il cielo è ...
9. Un dolce di Natale.

**Verticali**

1. Per il ... di Capodanno preparerò un sacco di cose da mangiare.
2. Un biglietto di prima ... sull'Intercity per Roma.
3. Giorno di festa a metà agosto.
5. Il treno Regionale, ferma in tutte le ...
8. Oggi non fa molto freddo, ma tira ...

Risposte giuste: ......... /35

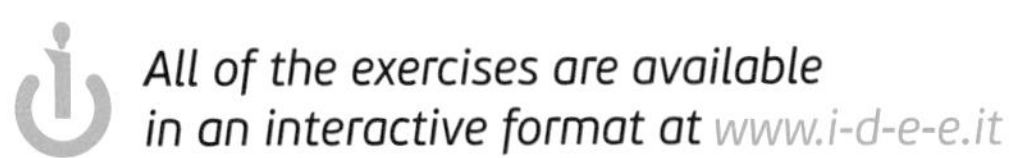

**A** Complete the sentences with the simple or articulated prepositions.

1. Non mi piace telefonare .................. miei amici. Preferisco mandare messaggi.
2. Sono andato .................. spedire un pacco .................. miei genitori.
3. Prenderò qualche giorno .................. vacanza .................. stare .................. miei figli!
4. Hai cercato bene? Il tuo vestito bianco è .................. armadio, vicino .................. quello verde.
5. Domani vado .................. aeroporto: arrivano i miei zii .................. Germania.
6. La farmacia si trova .................. via Cesare Pavese, proprio davanti .................. bar.
7. .................. 17 devo andare .................. dentista.
8. Vieni .................. centro .................. me? Voglio comprare una gonna.
9. Il tuo cellulare è .................. tavolo .................. cucina.

........../18

**B** Complete the sentences with the prepositions.

1. Se tutto andrà bene, prenderò la laurea ............ fine ............ questo mese.
2. Per favore, puoi portare Maria ............ dottore? Non sta bene.
3. Quando andrai ............ Olanda?
4. Gli appunti ............ Mario sono ............ mia borsa.
5. I ragazzi sono rimasti ancora ............ qualche giorno ............ nonni.
6. Secondo le previsioni, pioverà ............ tutta la settimana ............ Italia del Nord.
7. Stasera andiamo a cena ............ Lucia e Renzo.
8. Cercate ............ cassetto: ci sono i miei occhiali ............ sole?

........../13

**C** Choose the correct option.

- Mamma, se domani vai in centro, vengo con te: voglio comprare dei/degli (1) regali.
- Ma non puoi cercare in qualche negozio qua vicino? Ci sono dei/delle (2) negozi molto carini...
- Mmh... ho già cercato, ma non mi piace niente.
- In libreria ho visto dei/delle (3) libri molto interessanti... anche dei/delle (4) agende molto utili...
- Agende? No, i regali sono per dei/degli (5) amici di Luca che andiamo a trovare domenica: hanno appena cambiato casa. Avevo pensato a dei/delle (6) tazzine o a dei/degli (7) bicchieri...
- Ah, ho capito. Allora vieni con me: conosco un bel negozio di cose per la casa!

........../7

**D** Complete the dialogue with the possessive adjectives.

- Ciao Piero, tutto bene? Ricordi che sabato c'è la ............ (1) festa, no? Vieni, vero? Così conoscerai il ............ (2) professore di inglese, Paul.
- Luca! Certo, verrò! Mmh... Posso portare anche Sonia, una ............ (3) collega?
- Sì, non c'è nessun problema. Ricordi la strada per arrivare a casa ............ (4)?
- Sì, sì...
- Ah, ieri ho incontrato Monica con il ............ (5) nuovo ragazzo, Fabio. È molto simpatico... Ho invitato anche lui...
- Ah, bene! Allora conoscerò anche lui alla ............ (6) festa!

.......... /6

**E** Complete the sentences with the *passato prossimo* of the verbs.

1. Claudia, come ................................ (passare) il fine settimana? ................................ (Andare) a trovare i tuoi genitori o ................................ (rimanere) a Milano?
2. Ragazzi, se ................................ (finire), potete andare via!
3. L'altro giorno io e Andrea ................................ (uscire) e ................................ (incontrare) Lia.
4. ................................ (Passare) tanti anni, ma tu, Antonio, non ................................ (cambiare).
5. Valeria, ................................ (fare) lo scontrino?
6. Non veniamo con voi perché ................................ (vedere) questo film sabato scorso.
7. Giulio ................................ (cambiare) casa, ora vive in centro.
8. Chi ................................ (vincere) la partita a carte?

.......... /12

**F** Complete the sentences with the simple future or future perfect form of the verbs.

1. Quando ................................ (comprare, io) il biglietto per la partita, ................................ (potere) prenotare il volo per Napoli.
2. Se non ................................ (venire, loro) alla mia festa, non ................................ (parlare) più con loro.
3. Se Alessandro e la sua ragazza non .................... già .................... (mangiare), ................................ (dovere, tu) preparare qualcosa per loro.
4. Per prima cosa ................................ (cercare, noi) una buona palestra, poi ................................ (cominciare) a fare sport!
5. Giacomo ................................ (aprire) una farmacia appena ................................ (prendere) la laurea.
6. Sono certo che Luisa ................................ (fare) il possibile per Anna.
7. Se ................................ (ascoltare, tu) l'ultima canzone della Pausini, forse ................................ (capire) perché ha venduto milioni di copie in tutto il mondo.
8. Ragazzi, oggi è sabato e ................................ (potere, noi) tornare a casa anche dopo le due.

.......... /14

Risposte giuste: .......... /70

## Game Instructions

### Units 0-5 Game, *Scale e serpenti*, page 152

Play in pairs or in two small teams. The player or team who rolls the highest number on the dice will go first. Take turns rolling the dice and completing the suggested activities. If you answer incorrectly, move back two spaces. Then, it is the other player's/team's turn. If you arrive on a space occupied by the other player/team, move ahead to the next space.

Note: if you find a , climb up; if you find a , go down!
The first player or team to arrive at the space marked *Arrivo*, after space 36, wins!

# Gioco unità 0-5

**PARTENZA!**

1 Leggi e fai la somma: 30 + 25 = ?

2 Dove vai stasera?

CINEMA TEATRO ODEON

3 Come ti chiami? Di' il tuo nome anche lettera per lettera.

19 Che tempo fa?

20 Racconta brevemente la tua ultima vacanza: Dove sei stato? Con chi? Quando? Ti sei divertito?

21 Che ore sono?

22 Il contrario di corto?

23 Ricordi l'episodio video dell'unità 4? Cosa succede al bar?

24

25 Qual è l'orario della posta?

Orario
da Lunedì a Venerdì
dalle 08:20 alle 13:45
Sabato
dalle 08:20 alle 12:45

26 Passato prossimo di rimanere, terza persona singolare femminile.

27

28 Chiedi un'informazione.

BIGLIETT

33 Vai a a pag. 50 del Libro dello studente, attività C5, immagine A. Dov'è la lampada?

34 2 Feste italiane e 2 dolci tipici!

35 Completa: "Partiremo per le vacanze non appena ... (Finire) gli esami."

36 2 progetti per il futuro!

**ARRIVO!**

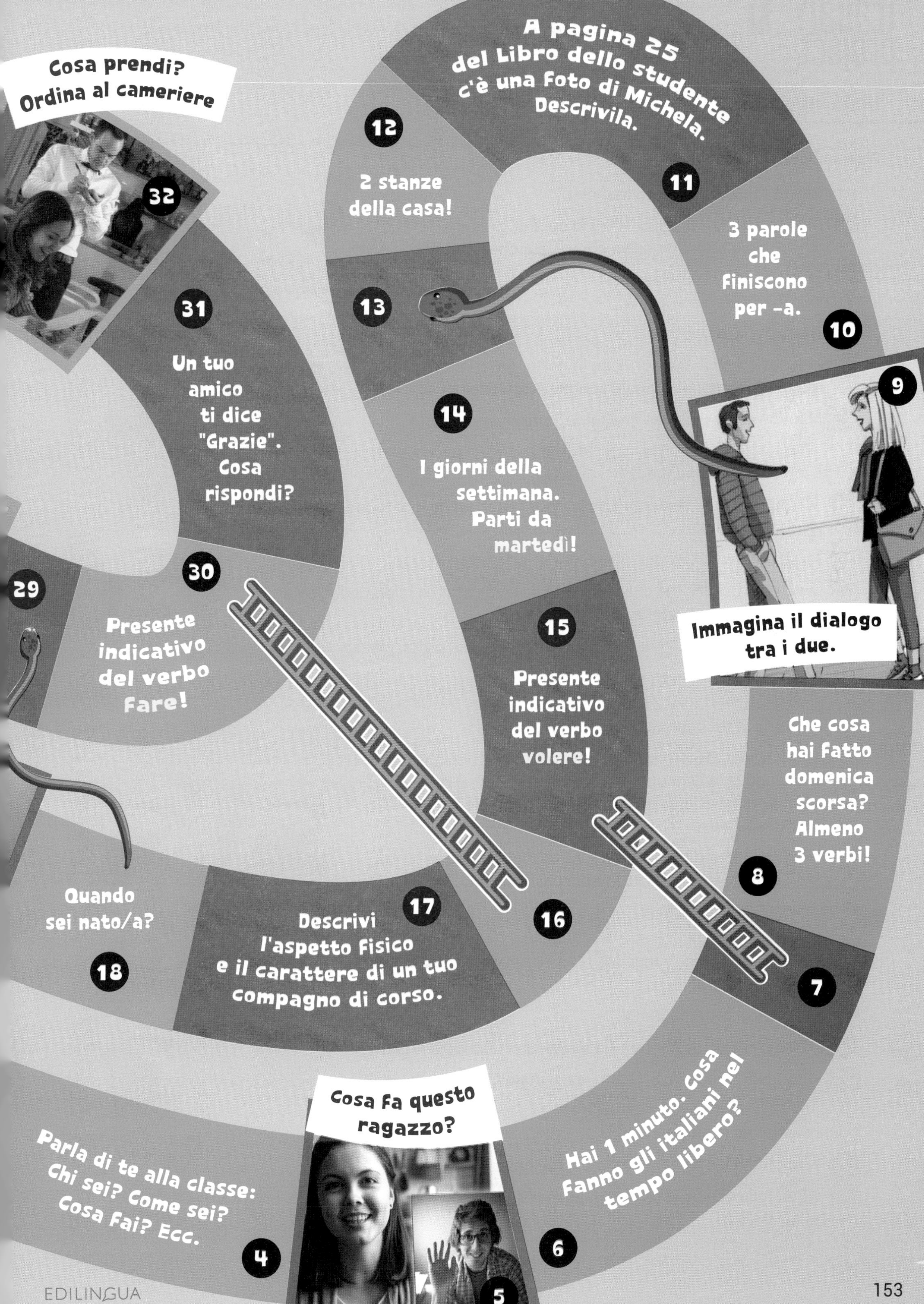
Parla di te alla classe: Chi sei? Come sei? Cosa fai? Ecc.
4
Cosa fa questo ragazzo?
5
Hai 1 minuto. Cosa fanno gli italiani nel tempo libero?
6
7
8
Che cosa hai fatto domenica scorsa? Almeno 3 verbi!
9
Immagina il dialogo tra i due.
10
3 parole che finiscono per -a.
11
A pagina 25 del Libro dello studente c'è una foto di Michela. Descrivila.
12
2 stanze della casa!
13
14
I giorni della settimana. Parti da martedì!
15
Presente indicativo del verbo volere!
16
17
Descrivi l'aspetto fisico e il carattere di un tuo compagno di corso.
18
Quando sei nato/a?
29
30
Presente indicativo del verbo Fare!
31
Un tuo amico ti dice "Grazie". Cosa rispondi?
32
Cosa prendi? Ordina al cameriere

**1**

## Unità introduttiva

### Pronunciation

- In Italian the letter **c** is pronounced:

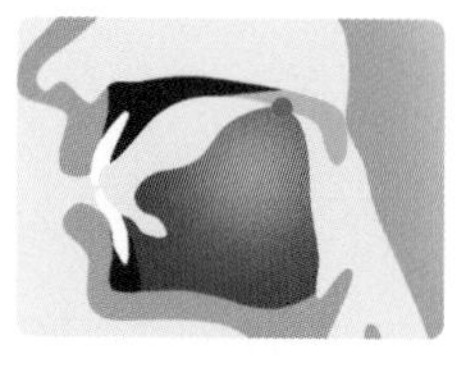
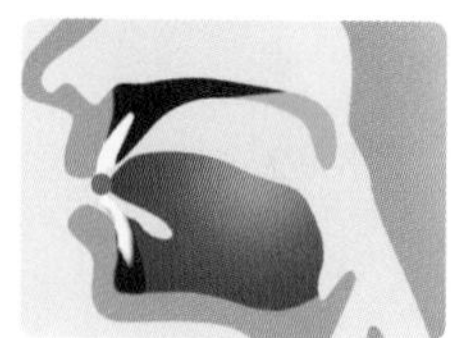

[k] if followed by A, O, U, or H, as in cucina, musica, caffè, ascoltare, Colosseo, chiave, zucchero

[tʃ] if followed by E or I, as in ciao, cinema, limoncello

- The letter **g** is pronounced:

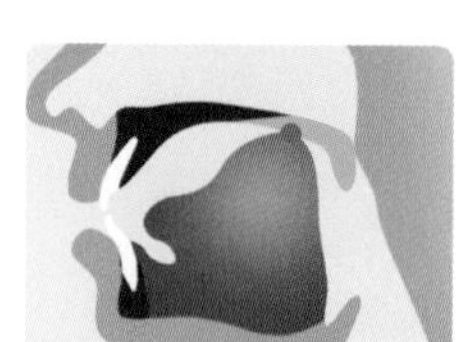
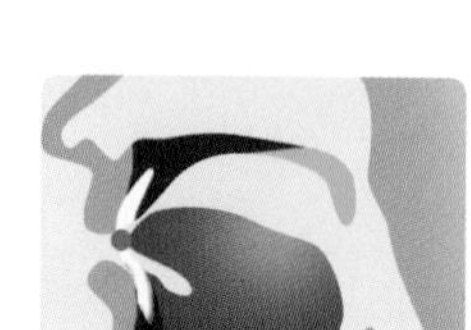
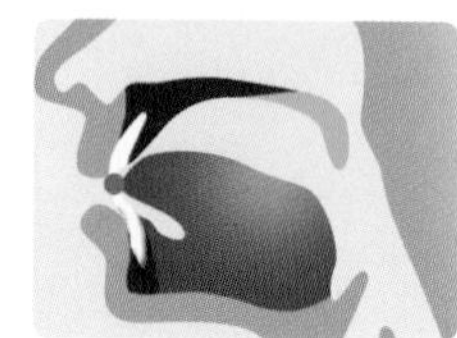

[g] if followed by A, O, U, or H, as in gatto, galleria, gondola, singolare, lingua, spaghetti, ghiaccio

[dʒ] if followed by E or I, as in pagina, parmigiano, gelato

- The letter **z** is pronounced:

[dz] when **z** is at the beginning of the word* and when it is found between two vowels, as in zero, zaino

The same sound, but longer, is present in words like mezzo

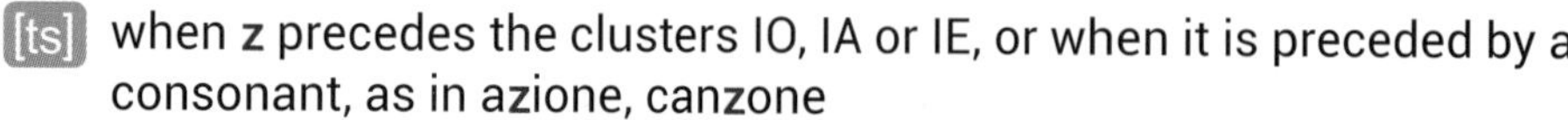

[ts] when **z** precedes the clusters IO, IA or IE, or when it is preceded by a consonant, as in azione, canzone

The same sound, but longer, is present in words like pizza, piazza

* There are some exceptions.

- The letter **s** is pronounced:

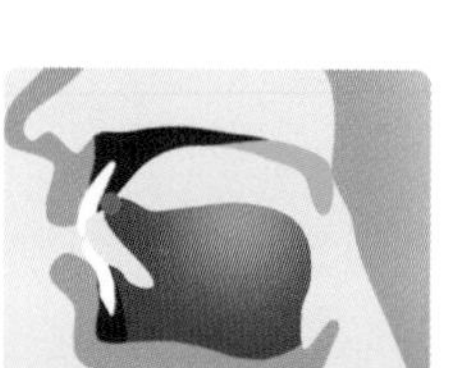
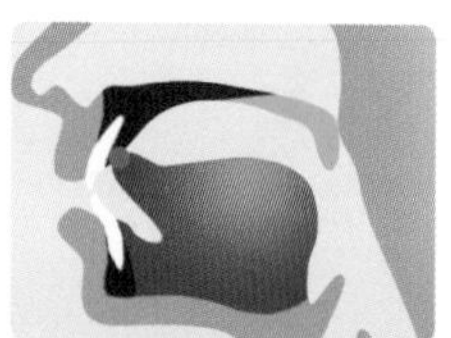

[s] when **s** is at the beginning of the word, or when it is preceded by a consonant or followed by F, P, Q or T, as in borsa, sette, studente, when it is doubled, as in espresso, basso

[z] when it is found between two vowels* or before B, D, G, L, M, N, R, or V, as in musica, svizzero

* There are some exceptions.

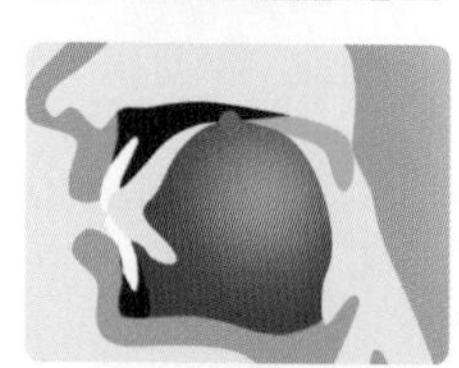

- The cluster **gn** is pronounced [ɲ] as in insegnante, spagnolo.

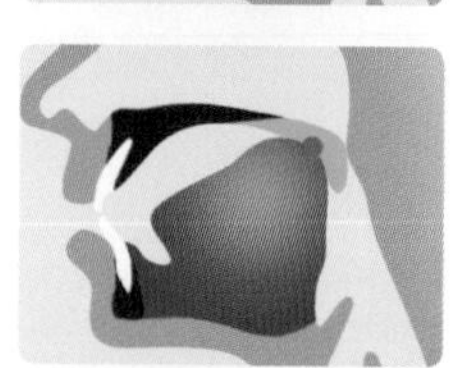

- The cluster **gl** is pronounced:

[ʎ] when followed by I or by I + a vowel, as in famiglia, figlio

[gl] when followed by A, E, O or U, as in inglese, glossario, gladiatore

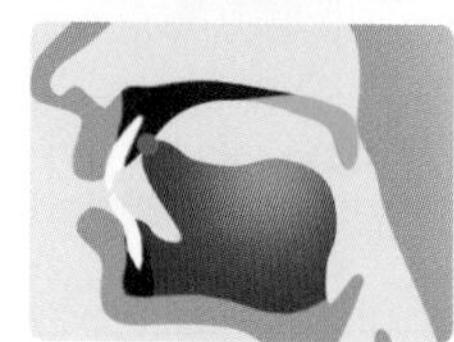

- The cluster **sc** is pronounced:

[ʃ] when followed by I or E, as in uscita, pesce

[sk] when followed by A, O, U or H, as in tedeschi, maschera, scuola

- Double consonants can change the meaning of a word, and they must be pronounced either by strengthening the sound (as in case of B, C, G, P, T) or prolonging it (as in the case of F, L, M, N, R, S, V, Z). Some examples are:

| cc | piccolo<br>cappuccino | gg | oggi<br>aggettivo | tt | otto<br>attenzione |
|---|---|---|---|---|---|

| ff | caffè<br>difficile | ll | bello<br>fratello | mm | mamma<br>immagine | nn | nonna<br>anno | rr | terra<br>corretto |
|---|---|---|---|---|---|---|---|---|---|

## Nouns and Adjectives

### Nouns and Adjectives ending in -o or -a

In Italian, nouns and adjectives have two genders: masculine and feminine. The majority of **masculine** nouns and adjectives end in -o or -i, while **feminine** nouns and adjectives end in -a or -e.

| masculine | | feminine | |
|---|---|---|---|
| **singular** ends in **-o** | **plural** ends in **-i** | **singular** ends in **-a** | **plural** ends in **-e** |
| libro rosso | libri rossi | casa nuova | case nuove |

### Nouns ending in -e

Some masculine and feminine nouns end in -e in the singular and -i in the plural.

a. Many nouns ending in -ore, -ale, and -iere are **masculine**:
*errore* → *errori*, *attore* → *attori*, *sapore* → *sapori*, *stivale* → *stivali*, *giardiniere* → *giardinieri* ecc.

b. Many nouns ending in -ione, -udine and -ice are **feminine**:
*azione* → *azioni*, *abitudine* → *abitudini*, *attrice* → *attrici* ecc.

### Nouns ending in -a

Some **masculine** nouns of Greek origin end in -a in the singular and -i in the plural:
*panorama* → *panorami*, *problema* → *problemi*, *programma* → *programmi*, *tema* → *temi*, *clima* → *climi*, *telegramma* → *telegrammi*.

Some nouns ending in -ista, often used for professions, have the same **masculine** and **feminine** singular forms: *il/la turista*, *barista*, *tassista*, *pessimista*, *regista*.
In the plural, the **masculine** nouns take an -i (*i turisti*, *baristi*, *tassisti*, *pessimisti*, *registi*) and the **feminine** nouns take an -e (*le turiste*, *bariste*, *tassiste*, *pessimiste*, *registe*).

### Feminine nouns ending in -i

Some feminine nouns of Greek origin end in -i in both the singular and plural:
*la crisi* → *le crisi*, *l'analisi* → *le analisi*, *la tesi* → *le tesi*, *la sintesi* → *le sintesi*, *l'ipotesi* → *le ipotesi*, *la perifrasi* → *le perifrasi*, *l'enfasi* → *l'enfasi*.

**Invariable Nouns (do not change in the plural)**

- nouns that end with an accented vowel: *il caffè → i caffè, la città → le città, l'università → le università*
- nouns that end with a consonant: *lo sport → gli sport, il film → i film, il bar → i bar*
- monosyllabic nouns: *il re → i re, lo sci → gli sci*
- nouns that end in -ie: *la serie → le serie, la specie → le specie**
- nouns that end with an -i: *la crisi → le crisi, l'analisi → le analisi, l'ipotesi → le ipotesi*
- abbreviated nouns: *la foto(grafia) → le foto(grafie), l'auto(mobile) → le auto(mobili), la moto(cicletta) → le moto(ciclette), la bici(cletta) → le bici(clette), il cinema(tografo) → i cinema(tografi).*

* Exception: *la moglie → le mogli.*

**Masculine nouns ending in -io**

Nouns that end in -io only have one -i in the plural if the -i- is not stressed, whereas if the -i- is stressed, the plural form has a double -ii:

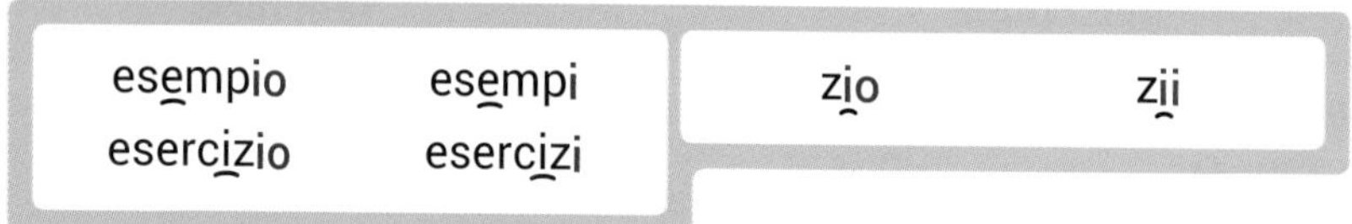

| | | | |
|---|---|---|---|
| esempio | esempi | zio | zii |
| esercizio | esercizi | | |

**Masculine nouns and adjectives ending in -co and -go**

If the stress falls on the penultimate syllable, an -h- is added to the plural; if the stress falls on the antepenultimate (third from the last) syllable, no -h- is added.

| | | | |
|---|---|---|---|
| il fuoco | i fuochi | il medico | i medici |
| l'albergo | gli alberghi | l'asparago | gli asparagi |
| fresco (agg.) | freschi | fantastico (agg.) | fantastici |

Exceptions: *amico → amici, greco → greci*

Exceptions: *incarico → incarichi, obbligo → obblighi*

Some nouns have two plural forms (-chi/-ci, -ghi/-gi):
chirurgo → chirurgi/chirurghi, stomaco → stomaci/stomachi.

**Masculine nouns ending in -logo**

Nouns that indicate things end in -loghi in the plural, whereas nouns that indicate people end in -logi in the plural.

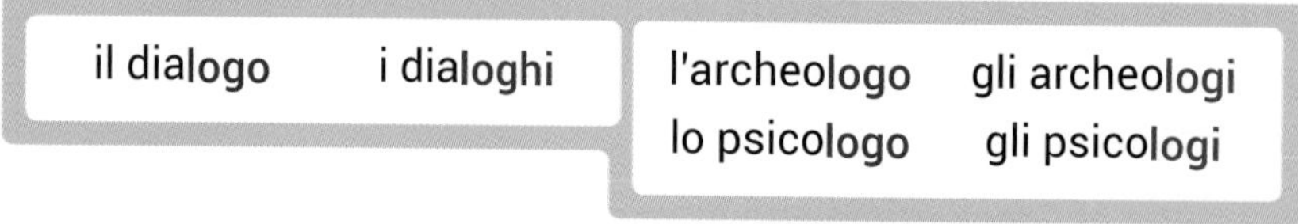

| | | | |
|---|---|---|---|
| il dialogo | i dialoghi | l'archeologo | gli archeologi |
| | | lo psicologo | gli psicologi |

**Feminine nouns and adjectives ending in -ca and -ga**

All feminine nouns and adjectives that end in -ca and -ga have the plural endings -che and -ghe, respectively.

| | | | |
|---|---|---|---|
| amica simpatica | amiche simpatiche | collega belga | colleghe belghe |

### Feminine nouns ending in -cia and -gia

If the clusters -cia and -gia are preceded by a consonant, they have the plural endings -ce and -ge, respectively. However, if they are preceded by a vowel or if the -i- is stressed, they have the plural endings -cie and -gie.

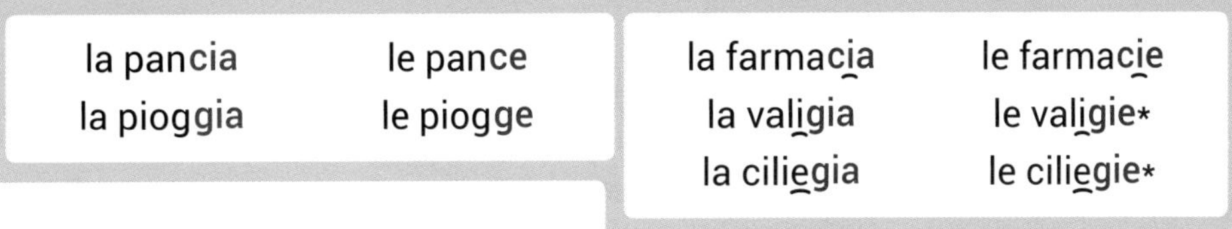

| | | | |
|---|---|---|---|
| la pancia | le pance | la farmacia | le farmacie |
| la pioggia | le piogge | la valigia | le valigie* |
| | | la ciliegia | le ciliegie* |

* *Ciliege* and *valige* are also accepted.

### The Definite Article

| | | |
|---|---|---|
| **Masculine nouns** that start with | a consonant | **il → i**<br>*il libro → i libri* |
| | a vowel | **l' → gli**<br>*l'amico → gli amici* |
| | s + consonant, z, ps, pn, gn, y, x | **lo → gli**<br>*lo zaino → gli zaini, lo psicologo → gli psicologi* |

| | | |
|---|---|---|
| **Feminine nouns** that start with | a consonant | **la → le**<br>*la ragazza → le ragazze* |
| | a vowel | **l' → le**<br>*l'amica → le amiche* |

### The present indicative of the verbs *essere*, *avere* and *chiamarsi* (first, second, and third person singular)

| | essere | avere | chiamarsi |
|---|---|---|---|
| io | sono | ho | mi chiamo |
| tu | sei | hai | ti chiami |
| lui/lei/Lei | è | ha | si chiama |
| noi | siamo | abbiamo | |
| voi | siete | avete | |
| loro | sono | hanno | |

Note: In Italian the use of the subject pronoun is optional.

1

## Unità 1

### The Present Indicative of Regular Verbs

Italian verbs have three conjugations:

| | 1st conjugation (-are) | 2nd conjugation (-ere) | 3rd conjugation (-ire) | |
|---|---|---|---|---|
| | lavorare | prendere | aprire | finire |
| io | lavoro | prendo | apro | finisco |
| tu | lavori | prendi | apri | finisci |
| lui/lei/Lei | lavora | prende | apre | finisce |
| noi | lavoriamo | prendiamo | apriamo | finiamo |
| voi | lavorate | prendete | aprite | finite |
| loro | lavorano | prendono | aprono | finiscono |

Verbs like *aprire: dormire, offrire, partire, sentire,* etc.

Many -ire verbs require the addition of the infix -isc- after the stem in the *io, tu, lui/lei/Lei* and *loro* forms.

Verbs like *finire: capire, preferire, spedire, pulire* etc.

### The Indefinite Article

| | | |
|---|---|---|
| **Masculine nouns** that start with | a consonant or a vowel | **un**<br>*un libro, un amico** |
| | s + consonant, z, ps, pn, gn, y, x | **uno**<br>*uno studente, uno zio, uno psicologo, uno yogurt* |

* The indefinite article un never takes an apostrophe in front of masculine nouns.

| | | |
|---|---|---|
| **Feminine nouns** that start with | a consonant | **una**<br>*una mela* |
| | a vowel | **un'**<br>*un'amica* |

### Adjectives that end in -e

Adjectives that end in -e have identical **masculine** and **feminine forms**:

| | | | |
|---|---|---|---|
| il ragazzo gentile | i ragazzi gentili | la ragazza gentile | le ragazze gentili |

### The Polite Form

In Italian, it is possible to use the informal *tu* or the formal *Lei* to address someone. With older people and people that we don't know well or at all, we use the formal *Lei*, or rather the third-person singular form for the verb: - *Lei di dov'è? - Sono inglese e Lei?*

## Unità 2

### Features of First Conjugation Verbs

a. Verbs that end in -care and -gare take an -h- after the stem in the *tu* and *noi* forms: giocare → giochi, giochiamo; spiegare → spieghi, spieghiamo; pagare → paghi, paghiamo.

b. Verbs that end in -ciare and -giare do not have an additional -i at the end of the *tu* and *noi* forms: cominciare → cominci (and not comincii), cominciamo (and not cominciiamo); mangiare → mangi (and not mangii), mangiamo (and not mangiiamo).

| | cominciare | mangiare | pagare |
|---|---|---|---|
| io | comincio | mangio | pago |
| tu | cominci | mangi | paghi |
| lui/lei/Lei | comincia | mangia | paga |
| noi | cominciamo | mangiamo | paghiamo |
| voi | cominciate | mangiate | pagate |
| loro | cominciano | mangiano | pagano |

### Irregular Verbs in the Present Indicative

| | andare | bere | dare | dire |
|---|---|---|---|---|
| io | vado | bevo | do | dico |
| tu | vai | bevi | dai | dici |
| lui/lei/Lei | va | beve | dà | dice |
| noi | andiamo | beviamo | diamo | diciamo |
| voi | andate | bevete | date | dite |
| loro | vanno | bevono | danno | dicono |

| | fare | morire | piacere | porre |
|---|---|---|---|---|
| io | faccio | muoio | piaccio | pongo |
| tu | fai | muori | piaci | poni |
| lui/lei/Lei | fa | muore | piace | pone |
| noi | facciamo | moriamo | piacciamo | poniamo |
| voi | fate | morite | piacete | ponete |
| loro | fanno | muoiono | piacciono | pongono |

| | rimanere | salire | sapere | scegliere |
|---|---|---|---|---|
| io | rimango | salgo | so | scelgo |
| tu | rimani | sali | sai | scegli |
| lui/lei/Lei | rimane | sale | sa | sceglie |
| noi | rimaniamo | saliamo | sappiamo | scegliamo |
| voi | rimanete | salite | sapete | scegliete |
| loro | rimangono | salgono | sanno | scelgono |

| | sedere | spegnere | stare | tenere |
|---|---|---|---|---|
| io | siedo | spengo | sto | tengo |
| tu | siedi | spegni | stai | tieni |
| lui/lei/Lei | siede | spegne | sta | tiene |
| noi | sediamo | spegniamo | stiamo | teniamo |
| voi | sedete | spegnete | state | tenete |
| loro | siedono | spengono | stanno | tengono |

| | tradurre | trarre | uscire | venire |
|---|---|---|---|---|
| io | traduco | traggo | esco | vengo |
| tu | traduci | trai | esci | vieni |
| lui/lei/Lei | traduce | trae | esce | viene |
| noi | traduciamo | traiamo | usciamo | veniamo |
| voi | traducete | traete | uscite | venite |
| loro | traducono | traggono | escono | vengono |

Verbs like *porre: proporre, esporre*, etc.

Verbs like *scegliere: togliere, cogliere, raccogliere*, etc.

Verbs like *tenere: mantenere, ritenere*, etc.

Verbs like *tradurre: produrre, ridurre*, etc.

Verbs like *trarre: distrarre, attrarre*, etc.

**Modal Verbs (potere, volere, dovere)**

| | potere | volere | dovere | |
|---|---|---|---|---|
| io | posso | voglio | devo | + infinitive |
| tu | puoi | vuoi | devi | |
| lui/lei/Lei | può | vuole | deve | |
| noi | possiamo | vogliamo | dobbiamo | |
| voi | potete | volete | dovete | |
| loro | possono | vogliono | devono | |

### Cardinal Numbers 1 - 2.000

| | | | | | | | |
|---|---|---|---|---|---|---|---|
| 1 | uno | 14 | quattordici | 27 | ventisette | 200 | duecento |
| 2 | due | 15 | quindici | 28 | ventotto | 300 | trecento |
| 3 | tre | 16 | sedici | 29 | ventinove | 400 | quattrocento |
| 4 | quattro | 17 | diciassette | 30 | trenta | 500 | cinquecento |
| 5 | cinque | 18 | diciotto | 31 | trentuno | 600 | seicento |
| 6 | sei | 19 | diciannove | 40 | quaranta | 700 | settecento |
| 7 | sette | 20 | venti | 50 | cinquanta | 800 | ottocento |
| 8 | otto | 21 | ventuno | 60 | sessanta | 900 | novecento |
| 9 | nove | 22 | ventidue | 70 | settanta | 1.000 | mille |
| 10 | dieci | 23 | ventitré | 80 | ottanta | 1.600 | milleseicento |
| 11 | undici | 24 | ventiquattro | 90 | novanta | 2.000 | duemila |
| 12 | dodici | 25 | venticinque | 100 | cento | | |
| 13 | tredici | 26 | ventisei | 101 | centouno | | |

### Ordinal Numbers from 1° - 25°

| | | | | | | | |
|---|---|---|---|---|---|---|---|
| 1° | primo | 8° | ottavo | 14° | quattordicesimo | 20° | ventesimo |
| 2° | secondo | 9° | nono | 15° | quindicesimo | 21° | ventunesimo |
| 3° | terzo | 10° | decimo | 16° | sedicesimo | 22° | ventiduesimo |
| 4° | quarto | 11° | undicesimo* | 17° | diciassettesimo | 23° | ventitreesimo |
| 5° | quinto | 12° | dodicesimo | 18° | diciottesimo | 24° | ventiquattresimo |
| 6° | sesto | 13° | tredicesimo | 19° | diciannovesimo | 25° | venticinquesimo |
| 7° | settimo | | | | | | |

* Starting with 11°, we drop the final vowel and add -esimo to the end of the number: *undici* + *esimo* = *undicesimo*.

### Simple Prepositions (*di, a, da, in, con, su, per, tra/fra*)

| | | |
|---|---|---|
| We use **DI** to express | possession | *Questo è il libro di Gianni.* |
| | origin | *Dante Alighieri è di Firenze.* |
| | the period of time when something happens* | *Preferisco studiare di sera.*<br>*D'inverno* torno a casa presto.* |
| | topic, subject | *I ragazzi parlano di calcio.*<br>*Ragazzi, prendete il libro di Storia.* |
| | the material or fabric of which something is made | *È molto bella questa maglietta di cotone.* |
| | the contents of something | *Vuoi un bicchiere d'acqua?* |
| | comparison | *Fabio è più alto di Jessica.* |
| | the partitive | *Uno di noi deve parlare con Carla.* |
| | age | *Luca è un ragazzo di 15 anni.* |
| | the cause of something | *Piange di gioia.* |

* When di precedes a vowel, it can take an apostrophe.

| | | |
|---|---|---|
| We use **A** to express | the indirect object complement | *Mando un sms ad Andrea*.* |
| | belonging to a place | *Abito a Rho, ma tutti i giorni vengo a Milano. / Torno a casa presto.* |
| | the age at which we do something | *I ragazzi italiani possono guidare il motorino a 14 anni.* |
| | the time at which something occurs | *Ci vediamo domani a mezzogiorno.* |
| | a quality or characteristic | *Compro una gonna a fiori.* |
| We use **A** | with the months | *La scuola finisce a giugno.* |

* When a precedes a word that begins with *a*, it can become ad.

| | | |
|---|---|---|
| We use **DA** to express | origin, coming from a place | *Vengo da Napoli.* |
| | how long something has been happening | *Studio l'italiano da due anni. Non vedo Maria da una settimana.* |
| | a clearly defined period of time | *Il museo resta chiuso da febbraio a maggio.* |
| | the complement of place with names of people | *Domani andiamo tutti da Franco.* |
| | movement away from a place | *Esco da scuola.* |
| | the function or purpose of something | *Ti piacciono le mie nuove scarpe da ginnastica?* |
| | the agent complement | *Questa è la pizza preparata da Francesca.* |

| | | |
|---|---|---|
| We use **IN** with | modes of transportation | *Vengo a scuola in bicicletta.* |
| | months | *La scuola inizia in settembre.* |
| | seasons | *Di solito in primavera facciamo una gita in montagna.* |
| We use **IN** to express | complement of place | *Quest'estate andiamo in Sardegna. Mia sorella lavora in centro.* |
| | the material of which something is made | *Voglio comprare una borsa in pelle.* |
| | the time spent doing something | *Finisco gli esercizi in 10 minuti.* |

| | | |
|---|---|---|
| We use **CON** to express | with whom or with what we are doing something | *Vado a Firenze con Elisabetta. Vengo con voi.* |
| | the manner in which something is done | *Gli studenti seguono la lezione con attenzione.* |

| | | |
|---|---|---|
| We use **SU** to indicate | topic, subject | *Facciamo una ricerca su Dante Alighieri.* |
| | something or someone located on top of something or some-one else | *Il gatto dorme sempre su una sedia in cucina.* |

| | | |
|---|---|---|
| We use **PER** to indicate | the destination of a trip | *Marta parte per Roma.* |
| | the passage through something | *Il treno passa anche per Bologna.* |
| | the person for whom we do something | *Compro un regalo per Giulia.* |
| We use **PER** to express | the duration of an action (*per* is optional) | *La domenica studio sempre (per) tre ore.* |
| | the time by which an action will be completed | *Finisco tutto per domani.* |
| | the purpose or reason for something | *Sono a Roma per motivi di lavoro/ per studiare.* |

| | | |
|---|---|---|
| We use **TRA/FRA** to indicate | the time remaining before an action is completed | *La lezione finisce fra quindici minuti.* |
| | something or someone located in between others | *Roma è tra Firenze e Napoli.* |
| | the relationship between people | *Tra Filippo e Giorgio c'è un bellissimo rapporto.* |

***A* or *IN*?**

When do we use **a** and when do we use **in**?

| A | IN |
|---|---|
| a Roma, a Capri, a Cuba *(with cities and islands)* | in Italia, in America, in Sicilia *(with states, continents, regions)* |
| a casa | in centro |
| a scuola | in ufficio |
| a teatro | in montagna, in campagna |
| a letto | in banca |
| a studiare *(before infinitive verbs)* | in città |
| | in farmacia, in via *(with nouns that end in* -ia*)* |
| | in biblioteca *(with nouns that end in* -teca*)* |
| **A** | **IN** |
| a pranzo, a cena | in vacanza |
| a piedi *(andare a piedi* – to go by foot*)* | in piedi *(stare in piedi* – to be standing up*)* |

### Days of the Week

lunedì (*il*), martedì (*il*), mercoledì (*il*), giovedì (*il*), venerdì (*il*), sabato (*il*), domenica (*la*)

## Unità 3

### Articulated Prepositions (simple preposition + definite article)

| | + il | + lo | + l' | + la | + i | + gli | + le |
|---|---|---|---|---|---|---|---|
| di | del | dello | dell' | della | dei | degli | delle |
| a | al | allo | all' | alla | ai | agli | alle |
| da | dal | dallo | dall' | dalla | dai | dagli | dalle |
| in | nel | nello | nell' | nella | nei | negli | nelle |
| con | con il (col) | con lo | con l' | con la | con i (coi) | con gli | con le |
| su | sul | sullo | sull' | sulla | sui | sugli | sulle |
| per | per il | per lo | per l' | per la | per i | per gli | per le |
| tra/fra | tra/fra il | tra/fra lo | tra/fra l' | tra/fra la | tra/fra i | tra/fra gli | tra/fra le |

### Simple or Articulated Preposition?

Simple prepositions are used to indicate a general place, while articulated prepositions are used for specific places. Some examples are:

| Simple | Articulated | |
|---|---|---|
| a scuola | alla scuola americana | When we specify |
| in Italia | nell'Italia del Nord | |
| in biblioteca | alla/nella biblioteca della scuola* | |
| in aereo, in macchina | con l'aereo delle 8* | |
| di sport | dello sport italiano | |
| in ufficio | nell'ufficio del direttore | |
| in chiesa | nella Chiesa di Santa Maria Maggiore | |
| in banca | alla Banca Commerciale* | |
| a mezzogiorno, a mezzanotte | alle 2 *(because* le ore *is plural)* | |
| da mezzogiorno | dalle 2 *(because* le ore *is plural)* | |
| a Maria, da Fabio | al professore, dal dottore *(with common nouns)* | |
| di Lucia (*with names of people*) | del ragazzo (*with common nouns*) | |
| per Roma (*with cities and islands*) | per l'Italia *(with states, continents, regions)* | |
| da due anni | dal 2016 *(with the year)* | |
| sono/vado in vacanza | parto per le vacanze* | |
| a teatro/casa/scuola | al cinema/bar/ristorante | |
| in Francia | negli Stati Uniti *(with plural names of states and regions)* | |

* Sometimes the preposition itself also changes.

## The Partitive

The partitive article is formed like an articulated preposition: **di** + the definite article.

| | masculine | feminine | | |
|---|---|---|---|---|
| singular | **del** pane<br>**dello** zucchero<br>**dell'**olio | **della** pasta<br>**dell'**insalata | *un po' di* | The partitive indicates a non-specific quantity of something:<br>*Vuoi dello zucchero?*<br>*(= Do you want some sugar?)* |
| plural | **dei** ragazzi<br>**degli** studenti<br>**degli** amici | **delle** ragazze/<br>**delle** amiche | *alcuni/ alcune* | *Vado a Roma da degli amici.*<br>*(= I'm going to stay with some friends in Rome.)* |

## *C'è - Ci sono*

We use c'è (singular) e ci sono (plural) to:

- indicate that objects or people are in a given place: *In piazza c'è una farmacia. (In the square there is a pharmacy) / Sul divano ci sono i cuscini. (On the couch there are cushions)*
- indicate events that are happening or will happen: *Sabato c'è la festa di Giulia. (Saturday is Giulia's party)*

## Possessive Adjectives (mio/a, tuo/a, suo/a)

- The possessives express a relationship of ownership between a person and an object, or a relationship between people or between people and things: *Questa è la mia borsa. (This is my purse) / Luana è la tua nuova compagna di banco. (Luana is your new desk mate) / Amo molto il mio Paese.* (I love my country very much)
- The possessives agree in gender (masculine or feminine) and number (singular or plural) with the object that they describe or replace: *il libro di Maria* → *il suo libro* (her book) / *la macchina di Luca* → *la sua macchina* (his car).
- The possessive adjectives usually precede the noun and require the article: *il mio libro* (my book) / *il suo quaderno* (his/her notebook). The possessive adjectives follow the word *casa*, without the article: *Venite a casa mia domani pomeriggio? (Are you coming to my house tomorrow afternoon?)*
- We always use the possessive pronouns on their own because the replace a noun: *La casa di Mina è grande, la mia è piccola*. (Mina's house is big, mine is small)
- When the verb *essere* is followed by a possessive pronoun, there's no need to use the article: - *Questo telefonino è (il) tuo? (Is this cell phone yours?) - No, non è (il) mio, è (il) suo*. (No, it's not mine, it's his/hers.)

## Months of the Year

The months of the year are always written with lowercase letters. They are:
gennaio, febbraio, marzo, aprile, maggio, giugno, luglio, agosto, settembre, ottobre, novembre, dicembre.

## Seasons

la primavera, l'estate (*f.*), l'autunno, l'inverno

### Cardinal Numbers 2.000 - 5.000.000

| | | | |
|---|---|---|---|
| 2.000 | duemila | 505.000 | cinquecentocinquemila |
| 2.500 | duemilacinquecento | 887.000 | ottocentoottantasettemila |
| 6.408 | seimilaquattrocentootto | 1.000.000 | un milione |
| 9.710 | novemilasettecentodieci | 1.600.000 | un milione seicentomila |
| 10.500 | diecimilacinquecento | 4.300.000 | quattro milioni trecentomila |
| 52.803 | cinquantaduemilaottocentotré | 5.000.000 | cinque milioni |

## Unità 4

### The Present Perfect

- The *passato prossimo* indicates a completed action in the past: *Ieri ho mangiato un panino.* (Yesterday I ate a sandwich.) / *Ieri siamo andati al cinema.* (Yesterday we went to the movies.)

  The *passato prossimo* is formed as follows:

| | |
|---|---|
| present tense of the verb avere or essere + **the past participle** | *-are* verbs → **-ato**: parlare → parlato<br>*-ere* verbs → **-uto**: credere → creduto<br>*-ire* verbs → **-ito**: finire → finito |

- The past participles of verbs that take essere agree in gender and number with the subject (like adjectives that end in -o) while the past participles of verbs that take avere do not change:

| | avere + past participle | essere + past participle |
|---|---|---|
| io | ho studiato | sono andato/a |
| tu | hai studiato | sei andato/a |
| lui/lei/Lei | ha studiato | è andato/a |
| noi | abbiamo studiato | siamo andati/e |
| voi | avete studiato | siete andati/e |
| loro | hanno studiato | sono andati/e |

### The auxiliary verb *essere* or *avere*?

**We use the auxiliary verb essere with:**

- the verb essere;
- many verbs of movement: *andare, venire, tornare, uscire, partire, arrivare;*
- verbs that indicate staying in place: *stare, rimanere, restare;*
- many intransitive verbs (verbs that do not take a direct object, but only an indirect object): *piacere, diventare, nascere, morire, sembrare, succedere, accadere;*
- reflexive verbs: *lavarsi, vestirsi, svegliarsi.*

**We use the auxiliary verb avere with:**

- the verb avere;
- transitive verbs (verbs that take a direct object and answer the question *who*? or *what*?): *fare* (*colazione*), *mangiare* (*un panino*), *finire* (*un esercizio*), *chiamare* (*un'amica*);
- some intransitive verbs: *dormire*, *viaggiare*, *camminare*, *passeggiare*, *piangere*, *ridere*.

**We use either the auxiliary verb essere or avere with:**

- atmospheric verbs: *piovere* (to rain), *nevicare* (to snow). There is no difference between *è piovuto* and *ha piovuto*;
- verbs *(cambiare, inziare, cominciare, finire, passare, salire, scendere, correre, etc.) that can be either transitive* [example **a**] or intransitive [example **b**]:
  a. *Giulia ha cambiato un'altra volta cellulare*. What did Giulia change? Her phone: "il cellulare" is the direct object of the verb *cambiare,* which functions here as a transitive verb.
  b. *Giulia è cambiata molto ultimamente*. Here, *cambiare* is an intransitive verb because there is no direct object and we have only the subject, *Giulia*. She is what has changed.
  a. *I ragazzi hanno finito tutti i compiti*. What did they finish? Their homework: "tutti i compiti" is the direct object of the verb *finire*, which functions here as a transitive verb.
  b. *Il film è finito*. Here, *finire* is an intransitive verb because there is no direct object and we have only the subject, the film. It is the film that is over.

**Irregular Past Participles**

| Infinitive | Past Participle | Infinitive | Past Participle |
|---|---|---|---|
| accendere | (ha) acceso | discutere | (ha) discusso |
| ammettere | (ha) ammesso | distinguere | (ha) distinto |
| appendere | (ha) appeso | distruggere | (ha) distrutto |
| aprire | (ha) aperto | dividere | (ha) diviso |
| bere | (ha) bevuto | escludere | (ha) escluso |
| chiedere | (ha) chiesto | esistere | (è) esistito |
| chiudere | (ha) chiuso | esplodere | (è/ha) esploso |
| concedere | (ha) concesso | esprimere | (ha) espresso |
| concludere | (ha) concluso | essere | (è) stato |
| conoscere* | (ha) conosciuto | fare | (ha) fatto |
| correggere | (ha) corretto | giungere | (è) giunto |
| correre | (è/ha) corso | insistere | (ha) insistito |
| crescere* | (è/ha) cresciuto | leggere | (ha) letto |
| decidere | (ha) deciso | mettere | (ha) messo |
| deludere | (ha) deluso | morire | (è) morto |
| difendere | (ha) difeso | muovere | (ha) mosso |
| dipendere | (è) dipeso | nascere | (è) nato |
| dire | (ha) detto | nascondere | (ha) nascosto |
| dirigere | (ha) diretto | offendere | (ha) offeso |

| Infinitive | Past Participle | Infinitive | Past Participle |
|---|---|---|---|
| offrire | (ha) offerto | scendere | (è/ha) sceso |
| perdere | (ha) perso/perduto | scrivere | (ha) scritto |
| permettere | (ha) permesso | soffrire | (ha) sofferto |
| piacere* | (è) piaciuto | spendere | (ha) speso |
| piangere | (ha) pianto | spegnere | (ha) spento |
| prendere | (ha) preso | spingere | (ha) spinto |
| promettere | (ha) promesso | succedere | (è) successo |
| proporre | (ha) proposto | tradurre | (ha) tradotto |
| ridere | (ha) riso | trarre | (ha) tratto |
| rimanere | (è) rimasto | uccidere | (ha) ucciso |
| risolvere | (ha) risolto | vedere | (ha) visto/veduto |
| rispondere | (ha) risposto | venire | (è) venuto |
| rompere | (ha) rotto | vincere | (ha) vinto |
| scegliere | (ha) scelto | vivere | (è/ha) vissuto |

* Verbs ending in -cere and -scere take an -i- before -uto.

### *Ci* (adverb)

The adverb ci replaces the name of a place and means *qui* (here) or *lì* (there):

- *Vai spesso in Italia?* (Do you go to Italy often?) - *Sì, ci vado ogni mese* (= lì, in Italia) (Yes, I go there every month).
*Bello questo parco, ci resto volentieri ancora un po'.* (= qui, nel parco). (This park is lovely, I'll happily stay here a little longer).

### Adverbs with the *passato prossimo*

The adverbs sempre, già, appena, mai, ancora and più are usually placed in between the auxiliary verb and the past participle:

*Paolo è sempre stato molto gentile con me.*
*Federica, hai già finito di lavorare?*
*I ragazzi sono appena usciti dal cinema.*
*Tiziana non è mai stata a Parigi.*
*Il professore d'inglese non è ancora arrivato.*
*Francesco non ha più chiamato Marcella.*

### The modal verbs (*dovere, volere, potere*) in the *passato prossimo*

- When we use the verbs dovere, potere and volere on their own, they auxiliary verb is always avere:
  - *Sei andato alla festa di Giulia?* - *No, non ho potuto.*
- We select the auxiliary verb based on the infinitive verb that follows dovere, potere and volere:
  *Non ho potuto studiare ieri.* (studiare takes avere as its auxiliary verb)
  *Carla non è voluta venire con noi.* (venire takes essere as its auxiliary verb)*

* The use of avere is also considered acceptable: *Martina non ha voluto venire con noi*. When we use the auxiliary verb essere, it is of course necessary for the past participle of dovere, potere and volere to agree in number and gender with the subject.

## Unità 5

### The Simple Future

| | 1st conjugation (-are) | 2nd conjugation (-ere) | 3rd conjugation (-ire) |
|---|---|---|---|
| | **tornare** | **prendere** | **partire** |
| io | tornerò | prenderò | partirò |
| tu | tornerai | prenderai | partirai |
| lui/lei/Lei | tornerà | prenderà | partirà |
| noi | torneremo | prenderemo | partiremo |
| voi | tornerete | prenderete | partirete |
| loro | torneranno | prenderanno | partiranno |

**Note:** As shown in the table, the conjugations of -are and -ere verbs are identical.

Unique features of -are verbs:

a. Verbs that end in -care and -gare take an -h- between the stem of the verb and the future endings: cercare → cercherò, cercherai, cercherà, cercheremo, cercherete, cercheranno; spiegare → spiegherò, spiegherai, spiegherà, spiegheremo, spiegherete, spiegheranno.

b. Verbs that end in -ciare and -giare lose the -i- between the stem of the verb and the future endings: cominciare → comincerò, comincerai, comincerà, cominceremo, comincerete, cominceranno; mangiare → mangerò, mangerai, mangerà, mangeremo, mangerete, mangeranno.

### Irregular verbs in the simple future

| Infinitive | Future | Infinitive | Future | Infinitive | Future |
|---|---|---|---|---|---|
| essere | sarò | sapere | saprò | tenere | terrò |
| avere | avrò | vedere | vedrò | trarre | trarrò |
| stare | starò | vivere | vivrò | spiegare | spiegherò |
| dare | darò | volere | vorrò | pagare | pagherò |
| fare | farò | rimanere | rimarrò | cercare | cercherò |
| andare | andrò | bere | berrò | dimenticare | dimenticherò |
| cadere | cadrò | porre | porrò | mangiare | mangerò |
| dovere | dovrò | venire | verrò | cominciare | comincerò |
| potere | potrò | tradurre | tradurrò | | |

### Function of the simple future

We use the simple future to indicate an action that has yet to occur with respect to when we are speaking or writing: *Ragazzi quest'anno organizzeremo un viaggio in Svezia.* (Guys, this year we will organize a trip to Sweden)

The simple future is used to express:

- future plans: *I miei amici andranno in vacanza a settembre.* (My friends will go on vacation in September)
- predictions: *Domenica non pioverà.* (It won't rain on Sunday)
- hypotheses: *Che ora è? Sarà già mezzogiorno?* (What time is it? It must be noon by now?) / *Il padre di Chiara avrà più o meno quarant'anni.* (Chiara's father must be around forty years old)
- promises: *Oggi non mangerò neppure un gelato!* (Today I won't even eat a gelato!)
- doubts or uncertainties: *Non credo che tornerete per le 5.* (I don't believe you'll be back by five o'clock)
- commands: *Quando entrerà il preside saluterete tutti!* (When the principle enters, you will all greet him!)
- hypothetical clauses: *Se verrai/vieni anche tu in viaggio con noi, ci divertiremo sicuramente.* (If you come on the trip with us, we will surely have fun)

**The Future Perfect**

auxiliary verb essere or avere in the simple future + **past participle** of verb

The future perfect is used to express:

- a future action that occurs before another future action (expressed in the simple future). In this case, the future perfect always follows the temporal conjunctions quando, dopo che, appena, non appena:

  *Uscirete solo dopo che avrete finito i compiti* (You will go out only after you have finished your homework). / *Appena sarà finita la partita, andremo tutti a mangiare qualcosa* (As soon as the game has finished, we will all go get something to eat).*

  * In spoken Italian, the future perfect is often replaced with the simple future: *Uscirete solo dopo che finirete i compiti. / Appena finirà la partita andremo tutti a mangiare qualcosa.*
- uncertainties or doubts about the past: *Perché non avranno risposto al nostro invito?* (How come they haven't responded to our invitation?)
- possibilities, hypotheses: *Cosa dite, ragazzi, Stefania e Giulia avranno perso anche questa volta il treno?* (What do you say, guys, did Stefania and Giulia miss the train again?)

**Abbreviations**

| | |
|---|---|
| *avv.* | adverb |
| *f.* | feminine |
| *inf.* | infinitive |
| *m.* | masculine |
| *part. pass.* | past participle |
| *pl.* | plural |
| *sing.* | singular |

This glossary includes all the new words found in the 5 units of the Student Textbook and Workbook. The words marked with an asterisk refer to the texts of the audio tracks.

New words from the *Attività video* and *Test finale* sections can be found in the online multilingual Glossary on www.edilingua.it.

## Unità introduttiva
## *Benvenuti!*

**unità**, l' (*f.*): unit
**introduttiva**, *f.* (*m.* introduttivo): introductory
**benvenuti**, (*pl.*) (*m.* benvenuto): welcome
**parole**, le (*f.*) (*sing.* la parola): words
**lettere**, le (*f.*) (*sing.* la lettera): letters
**musica**, la (*f.*): music
**arte**, l' (*f.*): art
**spaghetti**, gli (*m.*): spaghetti
**moda**, la (*f.*): fashion
**espresso**, l' (*m.*): espresso coffee
**opera**, l' (*f.*): opera
**cappuccino**, il (*m.*): cappuccino
**cinema**, il (*m.*): cinema
**caffè**, il (*m.*): coffee
**Colosseo**, il (*m.*): Colosseum
**cucina**, la (*f.*): kitchen
**galleria**, la (*f.*): gallery
**gondola**, la (*f.*): gondola
**lingua**, la (*f.*): language
**ciao**: hello/bye
**limoncello**, il (*m.*): limoncello (a lemon liqueur)
**parmigiano**, il (*m.*): parmesan cheese
**gelato**, il (*m.*): ice cream
**chiave**, la (*f.*): key
**zucchero**, lo (*m.*): sugar
**ghiaccio**, il (*m.*): ice
**portoghese**, (*m.* e *f.*): Portuguese
***gatto**, il (*m.*): *cat
***singolare**, (*m.* e *f.*): *singular
***pagina**, la (*f.*): *page
***chitarra**, la (*f.*): *guitar
**studente**, lo (*m.*) (*pl.* gli studenti): student
**maschili**, (*m.* e *f.*) (*sing.* maschile): masculine
**femminili**, (*m.* e *f.*) (*sing.* femminile): feminine
**plurale**, (*m.* e *f.*): plural
**finiscono**, *inf.* finire: they end in
**irregolari**, (*m.* e *f.*) (*sing.* irregolare): irregular
**particolari**, (*m.* e *f.*) (*sing.* particolare): particular
**sport**, lo (*m.*): sport
**approfondimento grammaticale**, l'(*m.*): further grammar explanation
**finestre**, le (*f.*) (*sing.* la finestra): windows
**pesce**, il (*m.*) (*pl.* i pesci): fish
**notte**, la (*f.*): night
**treni**, i (*m.*) (*sing.* il treno): train
**borsa**, la (*f.*) (*pl.* le borse): bag
**ragazzo**, il (*m.*) (*pl.* i ragazzi): boy
**ragazza**, la (*f.*) (*pl.* le ragazze): girl
**in blu**: in blue
**descrivono**, *inf.* descrivere: they describe
**persone**, le (*f.*) (*sing.* la persona): people
**cose**, le (*f.*) (*sing.* la cosa): things
**alto**, (*m.*): tall
**casa**, la (*f.*): house
**nuova**, *f.* (*m.* nuovo): new
**aperta**, *f.* (*m.* aperto): open
**macchina**, la (*f.*): car
**rossa**, *f.* (*m.* rosso): red
***buongiorno**: *good morning
***australiano**, (*m.*): *Australian
***piacere (di conoscerti)**: *nice to meet you
***spagnola**, *f.* (*m.* spagnolo): *Spanish
***sì**: *yes
**verbo**, il (*m.*): verb
**noi**: we
**loro**: they
**brasiliana**, *f.* (*m.* brasiliano): Brazilian
**marocchino**, (*m.*): Moroccan
**tedesca**, *f.* (*m.* tedesco): German
**sette**: seven
**svizzero**, (*m.*): Swiss
**prosciutto**, il (*m.*): ham
**maschera**, la (*f.*): mask
***sabato**: *Saturday
***basso**, (*m.*): *short
***uscita**, l' (*f.*): *exit
***schermo**, lo (*m.*): *screen
***ecco**: *here
***molti**, (*m.*) (*sing.* molto): *many
***no**: *no
***non**: *not
***calcio**, il (*m.*): *football
***scusi**, *inf.* scusare: *I'm sorry, excuse me
***autobus**, l' (*m.*): *bus
***centro**, il (*m.*): *centre
**albero**, l' (m.) (pl. gli alberi): tree
**zio**, lo (*m.*) (*pl.* gli zii): uncle
**isola**, l' (*f.*) (*pl.* le isole): island
**stivali**, gli (*m.*) (*sing.* lo stivale): boots
**zaino**, lo (*m.*): rucksack
**zia**, la (*f.*): aunt
**panino**, il (*m.*): sandwich
**aerei**, gli (*m.*) (*sing.* l'aereo): aeroplanes
**opera**, l' (*f.*): opera
**museo**, il (*m.*): museum
**ristorante**, il (*m.*): restaurant
**vestiti**, i (*m.*) (*sing.* il vestito): dresses
**moderni**, (*m.*) (*sing.* moderno): modern
**giovane**, (*m.* e *f.*): young
**uno**: one
**due**: two
**tre**: three
**quattro**: four
**cinque**: five
**sei**: six
**sette**: seven
**otto**: eight
**nove**: nine
**dieci**: ten
**risultato**, il (*m.*): answer, total
**insegnante**, (*m.* e *f.*): teacher
**glossario**, il (*m.*): glossary
**inglese**, (*m.* e *f.*): English
**figlio**, il (*m.*): son
**famiglia**, la (*f.*): family
**zero**: zero
**azione**, l' (*f.*): action
**canzone**, la (*f.*): song
**pizza**, la (*f.*): pizza
**mezzo**, (*m.*): half, vehicle (*esercizio di pronuncia, senza contesto*)
**lavagna**, la (*f.*): board
**gladiatore**, il (*m.*): gladiator
**biglietto**, il (*m.*): ticket
**zebra**, la (*f.*): zebra
**piazza**, la (*f.*): square

**chi**: who
***tesoro**, il (*m.*): *darling
***dove**, *avv.*: *where
***sai**, *inf.* sapere: *do you know
***fratelli**, i (*m.*) (*sing.* il fratello): *brothers
***davvero**, *avv.*: *really
***quanti anni hanno?**: *how old are they?
***quanti**, (*m.*) (*sing.* quanto): *how many
***anni**, gli (*m.*) (*sing.* l'anno): *years
**come ti chiami?**: what's your name?
**sorella**, la (*f.*): sister
**undici**: eleven
**dodici**: twelve
**tredici**: thirteen
**quattordici**: fourteen
**quindici**: fifteen
**sedici**: sixteen
**diciasette**: seventeen
**diciotto**: eighteen
**diciannove**: nineteen
**venti**: twenty
**ventuno**: twenty-one
**ventidue**: twenty-two
**ventitré**: twenty-three
**ventiquattro**: twenty-four
**venticinque**: twenty-five
**ventisei**: twenty-six
**ventisette**: twenty-seven
**ventotto**: twenty-eight
**ventinove**: twenty-nine
**trenta**: thirty
**come si scrive**: how do you write
**suo**, (*m.*): his/her
**cognome**, il (*m.*): surname
**oggi**, *avv.*: today
**mamma**, la (*f.*): mum
**nonna**, la (*f.*): grandmother, nan
**terra**, la (*f.*): land, earth (*esercizio di pronuncia senza contesto*)
**doccia**, la (*f.*): shower
**bicchiere**, il (*m.*): glass
**offrire**, *inf.*: to offer
**pioggia**, la (*f.*): rain
**stella**, la (*f.*): star
**penna**, la (*f.*): pen
**torre**, la (*f.*): tower
**latte**, il (*m.*): milk
**bottiglia**, la (*f.*): bottle
**autovalutazione**, l' (*f.*): self-evaluation
**buono**, (*m.*): good, tasty
**test finale**, il (*m.*): final test

## Quaderno degli esercizi Unità introduttiva

**tutti** (*m.*) (*sing.* tutto): all
**esercizi**, gli (*m.*) (*sing.* l'esercizio): exercises
**disponibili**, (*m.* e *f.*) (*sing.* disponibile): available
**formato**, il (*m.*): format
**interattivo**, (*m.*): interactive
**amica**, l' (*f.*) (*m.* l'amico): friend
**argentina**, (*f.*) (*m.* argentino): Argentinian
**bella**, (*f.*) (*m.* bello): beautiful
**medico**, il (*m.*) (*pl.* i medici): doctor
**lezione**, la (*f.*): lesson
**giornale**, il (*m.*): newspaper
**porta**, la (*f.*): door
**libro**, il (*m.*): book
**piccolo**, (m.): small
**americano**, (*m.*): American
**città**, la (*f.*): city
**auto**, l' (*f.*): car
**bar**, il (*m.*): coffee bar
**problema**, il (*m.*): problem
**turista**, il (*m.*): tourist
**ipotesi**, l' (*f.*): hypothesis
**regista**, il (*m.*): director
**bariste**, le (*f.*) (*sing.* la barista): barwoman
**amari**, (*m.*) (*sing.* amaro): bitter
**film**, il (*m.*): film
**nata a**, (*f.*) (*m.* nato): born in
**di Roma**: from Rome

## Unità 1 *Un nuovo inizio*

**inizio**, l' (*m.*): beginning
**cominciare**, *inf.*: to start
**per me**: for me
**per te**: for you
**lavoro**, il (*m.*): job
**amore**, l' (*m.*): relationship
**simpatica**, (*f.*) (*m.* simpatico): pleasant, likeable
**collega**, il/la (*m.* e *f.*): colleague
**metro**, la (*f.*): underground train
**carina**, (*f.*) (*m.* carino): nice
***pronto?**: *hello? (*common expression used when answering the phone*)
***come stai?**: *how are you?
***bene, tu?**: *fine, and you?
***pronta**, (*f.*) (*m.* pronto): *ready
***domani**, *avv.*: *tomorrow
***certo**, *avv.*: *of course
***anche se**: *even if
***prima**, (*f.*) (*m.* primo): *first
***volta**, la (*f.*): *time
***contenta**, (*f.*) (*m.* contento): *pleased
***molto**: *very
***perfetto**, (*m.*) (*f.* perfetta): *perfect
***tua**, (*f.*) (*m.* tuo): *your
***abita**, inf. abitare: *he/she lives
***vicino a**, *avv.*: *near to
***mia**, (*f.*) (*m.* mio): *my
***lì**, *avv.*: *there
***da due anni**: *for two years
***ma**: *but
***a che ora**: *at what time
***ora**, l' (*f.*): *time
***apre**, *inf.* aprire: *it opens
***ufficio**, l' (*m.*): *office
***prendo**, *inf.* prendere: *I take
***in dieci minuti**: *in ten minutes
***minuti**, i (*m.*) (*sing.* il minuto): *minutes
***che fortuna!**, la (*f.*): *how lucky
***buon inizio**: *have a good start
***allora**: *then
***grazie**: *thank you
**giorno**, il (*m.*): day
**inizia**, *inf.* iniziare: she begins
**coniugazione**, la (*f.*): conjugation
**dormire**, *inf.*: to sleep
**partire**, *inf.*: to leave
**ecc.**: etc.
**capire**, *inf.*: to understand
**preferire**, *inf.*: to prefer
**spedire**, *inf.*: to send, to post
**unire**, *inf.*: to join
**pulire**, *inf.*: to clean
**chiarire**, *inf.*: to clarify, to explain
**che tipo di musica ascolti?**: what kind of music do you listen to?
**tipo**, il (*m.*): kind
**arrivi**, *inf.* arrivare: you arrive
**tutto**: everything
**quando**: when
**libero**, (*m.*): free
**di pomeriggio**: in the afternoon
**pomeriggio**, il (*m.*): afternoon
**appuntamento**, l' (*m.*): appointment
**vado**, *inf.* andare: I go
**sua**, (*f.*): his, her
**invita**, inf. invitare: she invites
**cena**, la (f.): dinner
**ci vediamo**, *inf.* vedersi: see you
**dopo**, *avv.*: later
**stasera**, *avv.*: this evening
**dolce**, (*m.* e *f.*): sweet
**occhi**, gli (*m.*) (*sing.* l'occhio): eyes
**verdi**, (*m.* e *f.*) (*sing.* verde): green
**capelli**, i (*m.*): hair
**biondi**, (*m.*) (*sing.* biondo): blonde
**però**: but
**qui**, *avv.*: here
**corso d'italiano**, il (*m.*): Italian course
**attore**, l' (*m.*): actor
**famoso**, (*m.*): famous
**idea**, l' (*f.*): idea
**interessante**, (*m.* e *f.*): interesting
**storia**, la (*f.*) (*pl.* le storie): story
**uomo**, l' (*m.*) (*pl.* gli uomini): man
**intelligente**, (*m.* e *f.*) (*pl.* intelligenti): intelligent
**gonne**, le (*f.*) (*sing.* la gonna): skirts
**grande**, (*m.* e *f.*): big
***scendi**, *inf.* scendere: *get off
***ultima**, (*f.*) (*m.* ultimo): *last
***fermata**, la (*f.*): *stop
***prego**, *inf.* pregare: *you're welcome
***vero**, (*m.*): *aren't you
***ben arrivata**, (*f.*) (*m.* ben arrivato): *welcome
***comunque**, *avv.*: *anyway

***già**, *avv.*: *already
***via**, la (*f.*): *street, road
***a presto**: *see you soon
**Duomo**, il (*m.*): Cathedral
**Belle Arti**, le (*f.*): Fine Arts
**per motivi di lavoro**: for work reasons
***signore**, il (*m.*) (*f.* la signora): *Mr (formal expression)
***come va?**: *how are things?
***buonanotte**: *goodnight
***buonasera**: *good evening
***dottore**, il (*m.*): *doctor
***così e così**: *so so
**salve!**: hello, hi
**arrivederci!**: goodbye
**arrivederLa!**: goodbye (formal courtesy form)
**informale**, (*m.* e *f.*): informal
**formale**, (*m.* e *f.*): formal
**università**, l' (*f.*): university
**esci**, *inf.* uscire: you leave
**biblioteca**, la (*f.*): library
**verso**: about
**serata**, la (*f.*): evening
**discoteca**, la (*f.*): nightclub
**vacanza**, la (*f.*): holiday
**visito**, *inf.* visitare: I visit
**così bene**: so well
**possibile**, (*m.* e *f.*): possible
**dare del tu**: be on familiar speaking terms with, use the informal version of speech
**oppure**: or
**dare del Lei**: use the formal version of speech
**terza persona singolare**: third person singular
**esiste**, *inf.* esistere: does it exist
**simile**, (*m.* e *f.*): similar
**se studia o lavora**: if she/he studies or works
**marroni**, (*m.* e *f.*) (*sing.* marrone): brown
**bellissimi**, (*m.*) (*sing.* bellissimo): really beautiful
**magra**, (*f.*) (*m.* magro): slim
**bruna**, (*f.*) (*m.* bruno): brunette
**anziano**, (*m.*): elderly
**brutto**, (*m.*): ugly
**corti**, (*m.*) (*sing.* corto): short
**castani**, (*m.*) (*sing.* castano): chestnut brown
**azzurri**, (*m.*) (*sing.* azzurro): light blue
**sembra**, *inf.* sembrare: he/she seems
**antipatico**, (*m.*): unpleasant
**allegro**, (*m.*): cheerful
**triste**, (*m.* e *f.*): sad
**scortese**, (*m.* e *f.*): rude
**testa**, la (*f.*): head
**bocca**, la (*f.*): mouth
**senza**: without
**devono**, *inf.* dovere: they must
**ricorda**, *inf.* ricordare: remember
**contrario**, il (*m.*): opposite
**seconda**, (*f.*) (*m.* secondo): second

## Quaderno degli esercizi Unità 1

**cd**, il (*m.*): CD
**che cosa scrivi?**: what are you writing?
**mattina**, la (*f.*): morning
**bagno**, il (*m.*): bathroom
**email**, l' (*f.*): email
**italiano**, l' (*m.*): Italian
**per favore**: please
**complimenti!**: congratulations, well done
**mangiate**, *inf.* mangiare: do you eat/ are you eating
**di dove siete?**: where are you from?
**Palazzo della Borsa**, il (*m.*): Stock Exchange building
**farmacia**, la (*f.*): pharmacy, chemist's
**telefona**, *inf.* telefonare: she telephones
**Corriere della Sera**, il (*m.*): *Corriere della Sera* is a national daily newspaper
**sera**, la (*f.*): evening
**vivo**, *inf.* vivere: I live
**tempo**, il (*m.*): time
**francese**, (*m.* e *f.*): French
**gentile**, (*m.* e *f.*): kind
**scuola**, la (*f.*): school
**studiare**, *inf.*: to study
**giardino**, il (*m.*): garden
**chiusa**, (*f.*) (*m.* chiuso): closed

## Unità 2 *Tempo libero*

**noiosa**, (*f.*) (*m.* noioso): boring
**poco**: not very
**giocare con i videogiochi**: play videogames
**giocare**, *inf.*: to play
**videogiochi**, i (*m.*) (*sing.* il videogioco): videogames
**palestra**, la (*f.*): gym
**ballare**, *inf.*: to dance
**suonare uno strumento**: play an instrument
**suonare**, *inf.*: to play (only instruments or music)
**strumento**, lo (*m.*): instrument
**televisione**, la (*f.*): television
**teatro**, il (*m.*): theatre
**mi piace**: I like
**non mi piace**: I don't like
***faccio varie attività**: *I do various activities
***varie**, (*f.*) (*sing.* varia): *various
***pianoforte**, il (*m.*): *piano
***fine settimana**, il (*m.*): *weekend
***bere**: *to drink
***qualcosa**: *something
***passi**, *inf.* passare: *spend (as in time)
***adesso**, *avv.*: *now
***sono in pensione**: *I am retired
***pensione**, la (*f.*): *pension
***tanto**, (*m.*): *a lot
***suono in un gruppo musicale**: *I play in a band
***gruppo musicale**, il (*m.*): *band
***piscina**, la (*f.*): *swimming pool
***stare in forma**: *keep fit
***viene**, *inf.* venire: *he/she comes
***partita a carte**: la (*f.*): *game of cards
***impegnata**, (*f.*) (*m.* impegnato):*busy
***un po' di tempo**: *a bit of time
***forse**, *avv.*: *maybe
***donna**, la (*f.*): *woman
***qualche volta**: *sometimes
***venerdì sera**: *Friday evening
**violino**, il (*m.*): violin
**interessi**, gli (*m.*) (*sing.* l'interesse): interests
**ama**, *inf.* amare: he/she loves
**aeroporto**, l' (*m.*): airport
**nota**, la (*f.*): note
**pagare**, *inf.*: to pay
**vedete**, *inf.* vedere: see
**particolarità**, la (*f.*): particularity
**mare**, il (*m.*): sea
**volentieri**, *avv.*: willingly
**voglia**, la (*f.*): desire
**restare**, *inf.*: to stay, to remain
**purtroppo**, *avv.*: unfortunately
**ma dai**: come on! (*persuasive*)
**non è che..., è che...**: it's not that... it's that
**pensiamo**, *inf.* pensare: we think
**è da tempo**: it's been a long time
**Scala**, la (*f.*): Teatro alla Scala (*the opera house in Milan*)
**mi dispiace**, *inf.* dispiacere: I'm sorry
**magari**: maybe
**qualcuno**: someone
**d'accordo**: I agree
**perché no?**: why not?
**già**, *avv.*: already
**impegno**, l' (*m.*): appointment, commitment
**ottima**, (*f.*) (*m.* ottimo): excellent
**mostra d'arte**, la (*f.*): art exhibition
**spese**, le (*f.*) (*sing.* la spesa): shopping
**fine settimana**, il (*m.*): weekend
**entrare**, *inf.*: to enter, to come in
**mondo**, il (*m.*): world
**natura**, la (*f.*): nature
**pochi**, (*m.*) (*sing.* poco): few
**andare a piedi**: go on foot
**aspettare**, *inf.*: to wait
**momento**, il (*m.*): moment
**professore**, il (*m.*): teacher, professor
**fino a...**: until
**gita**, la (*f.*): trip

**fare tardi**: be late
**tardi**, *avv.*: late
**presto**, *avv.*: early
**girare a sinistra**: turn left
**Stati Uniti**, gli (*m.*): United States
**sempre**, *avv.*: always
**tornare**, *inf.*: to return, to go back
**partecipare**, *inf.*: to take part in
**gara**, la (*f.*): competition, race
**montagna**, la (*f.*): mountain
**di più**: more
**affitto**, l' (*m.*): rent
***in periferia**: *in the suburbs
***stadio**, lo (*m.*): *stadium
***va bene**: *ok
***proprio sotto casa**: *right outside the house
***piano**, il (*m.*): *floor
***comodo**, (*m.*): *comfortable
***luminoso**, (*m.*): *bright
***soggiorno**, il (*m.*): *living room
***camera da letto**, la (*f.*): *bedroom
***balcone**, il (*m.*): *balcony
***euro**: *euro
***fortunato**, (*m.*): *lucky
***ascensore**, l' (*m.*): *lift
**ingresso**, l' (*m.*): entrance, hall
**salotto**, il (*m.*): sitting room
**ripostiglio**, il (*m.*): storage room
**studio**, lo (*m.*): office
**trentuno**: thirty-one
**quaranta**: forty
**cinquanta**: fifty
**sessanta**: sixty
**settanta**: seventy
**ottanta**: eighty
**novanta**: ninety
**cento**: a hundred
**duecento**: two hundred
**trecento**: three hundred
**quattrocento**: four hundred
**cinquecento**: five hundred
**seicento**: six hundred
**settecento**: seven hundred
**ottocento**: eight hundred
**novecento**: nine hundred
**mille**: a thousand
**millenovecento**: one thousand nine hundred
**duemila**: two thousand
**primo**, (*m.*): first
**secondo**, (*m.*): second
**terzo**, (*m.*): third
**quarto**, (*m.*): fourth
**quinto**, (*m.*): fifth
**sesto**, (*m.*): sixth
**settimo**, (*m.*): seventh
**ottavo**, (*m.*): eighth
**nono**, (*m.*): ninth
**decimo**, (*m.*): tenth
**in poi**: onwards
**undicesimo**, (*m.*): eleventh
**agenzia**, l' (*f.*): agency
**prossimo**, (*m.*) (*f.* prossima): next
**lunedì**, il (*m.*): Monday
**martedì**, il (*m.*): Tuesday
**mercoledì**, il (*m.*): Wednesday
**giovedì**, il (*m.*): Thursday
**venerdì**, il (*m.*): Friday
**sabato**, il (*m.*): Saturday
**domenica**, la (*f.*): Sunday
**compleanno**, il (*m.*): birthday
***impossibile**, (*m.* e *f.*): *impossible
***ho molto da fare**: *I have a lot to do
***serie**, (*f.*) (*sing.* seria): *serious
***finalmente**, *avv.*: *finally
**Che ne dici di**: What about/How about
**abbastanza**, *avv.*: enough
**raccontare**, *inf.*: to tell
**invia**, *inf.* inviare: send (*email*)
**sono le sette meno venti**: it's twenty to seven
**è mezzogiorno**: it's midday
**è mezzanotte**: it's midnight
***nostri**, (*m.*) (*sing.* nostro): *our
***ascoltatori**, gli (*m.*) (*sing.* l'ascoltatore): *listeners
***programma**, il (*m.*): *programme, show
***siamo in ritardo**: *we're late
**meno un quarto**: a quarter to
**è mezzanotte e mezzo/a (trenta)**: it's half past midnight/ It's twelve thirty am
**mezzi pubblici**, i (*m.*): public transport
**usati**, (*m.*) (*sing.* usato): used
**tram**, il (*m.*): tram
**metropolitana**, la (*f.*): underground
**passeggeri**, i (*m.*) (*sing.* il passeggero): passengers
**tabaccheria**, la (*f.*): tobacconist's
**edicola**, l' (*f.*): newsagent's
**macchinette automatiche**, le (*f.*) (*sing.* macchinette automatiche): automatic ticket machines
**stazioni**, le (*f.*) (*sing.* la stazione): stations
**inoltre**, *avv.*: in addition
**abbonamento**, l' (*m.*): season ticket
**cellulare**, il (*m.*): mobile phone
**comprare**, *inf.*: to buy
**convalidare**, *inf.*: to validate, punch (*in Italy once you have bought your train ticket you must validate it, which means to get it stamped with the date and time*)
**timbrare**, *inf.*: to stamp
**corsa**, la (*f.*): journey (on public transport)
**convalida**, la (*f.*): validation
**salire**, *inf.*: get on
**viaggia**, *inf.* viaggiare: he/she/it travels
**negozio**, il (*m.*): shop
**vende**, *inf.* vendere: he/she/it sells
**sigarette**, le (*f.*) (*sing.* la sigaretta): cigarettes
**oggetti**, gli (*m.*) (*sing.* l' oggetto): objects
**sito**, il (*m.*): site
**vaporetto**, il (*m.*): ferry boat (*special name for the ferry boats used in Venice*)
**linea**, la (*f.*): line
**per cento**: per cent
**dedica il proprio tempo**, *inf.* dedicare: he/she dedicates his/her time
**soprattutto**, *avv.*: principally
**camminare**, *inf.*: to walk
**corre**, *inf.* correre: he/she runs
**va in bicicletta**: he/she goes by bike
**naviga su internet**: he/she surfs the internet
**lettura**, la (*f.*): reading
**lettrici**, le (*f.*) (*sing.* la lettrice): female readers
**creativi**, (*m.*) (*sing.* creativo): creative
**giardinaggio**, il (*m.*): gardening
**Paese**, il (*m.*): Country
**costano**, *inf.* costare: they cost
**percentuali**, le (*f.*) (*sing.* la percentuale): percentages
**stesse**, (*f.*) (*sing.* stessa): same

## Quaderno degli esercizi Unità 2

**supermercato**, il (*m.*): supermarket
**lago**, il (*m.*): lake
**concerto**, il (*m.*): concert
**tradurre**, *inf.*: to translate
**francese**, il (*m.*): French
**rimanere**, *inf.*: to stay, to remain
**stanco**, (*m.*): tired
**spegnere**, *inf.*: to turn off
**a colazione**: for breakfast
**colazione**, la (*f.*): breakfast
**telefono**, il (*m.*): telephone
**esame**, l' (*m.*): exam
**portare**, *inf.*: to take
**ancora**, *avv.*: still
**aspetto**, *inf.* aspettare: I'm waiting for\I'm expecting
**estero**, l' (*m.*): abroad
**vicina di casa**, la (*f.*) (*m.* il vicino di casa): neighbour
**studia Lettere**: he/she studies literature
**orizzontali**, (*m.* e *f.*) (*sing.* orizzontale): horizontal, across (only for crossword)
**verticali**, (*m.* e *f.*) (*sing.* verticale): vertical, down (only for crossword)

## Unità 3 *In contatto*

**essere in contatto**: be in contact
**contatto**, il (*m.*): contact
**videochiamata**, la (*f.*): video call

**pacco postale**, il (*m.*): package
**conversazioni**, le (*f.*) (*sing.* la conversazione): conversations
**riesce**, *inf.* riuscire: he/she can, is able to
**consiglia**, *inf.* consigliare: he/she advises
*__fra un po'__: *in a little while
*__tecnico__, il (*m.*): *technician
*__durante__: *during
*__pausa pranzo__, la (*f.*): *lunch break
*__buonissimi__, (*m.*) (*sing.* buonissimo): *delicious, tasty
*__Posta__, la (*f.*): *Post office
*__davanti a__: *in front of
*__ha sempre con sé__: *always has with him/her
*__portatile__, il (*m.*): *laptop
*__lontano da__: *far from
*__incontrare__, *inf.*: *to meet
*__mando__, *inf.* mandare: *I send
*__subito__, *avv.*: *straight away, immediately
*__figurati__, *inf.* figurarsi: *no problem, you're welcome
**lingua parlata**, la (*f.*): spoken language
**da dove viene?**: Where does he/she/it come from?
**Olanda**, l' (*f.*): Holland
**guanti**, i (*m.*) (*sing.* il guanto): gloves
**cassetto**, il (*m.*): drawer
**riviste**, le (*f.*) (*sing.* la rivista): magazines
**tavolo**, il (*m.*): table
**banca**, la (*f.*): bank
**in particolare**: in particular
**Italia del Sud**, l' (*f.*): Southern Italy
**comunale**, (*m.* e *f.*): public
**scuola media**, la (*f.*): middle school
**Banca Commerciale**, la (*f.*): Commercial Bank
**direttore**, il (*m.*): manager
**panificio**, il (*m.*): bakery
**restituire**, *inf.*: take back, return
**pane**, il (*m.*): bread
**frutta**, la (*f.*): fruit
*__Ufficio Postale__, l' (*m.*): *Post Office
*__non credo__, *inf.* credere: *I don't think so
*__chiude__, *inf.* chiudere: *it closes
*__Corso Venezia__, il (*m.*): *Venice Street
*__sicuro__, (*m.*): *sure
*__probabilmente__, *avv.*: *probably
**pranza**, *inf.* pranzare: he/she has lunch
**cena**, *inf.* cenare: he/she has dinner
**orario di lavoro**, l' (*m.*): working hours
**urgente**, (*m.* e *f.*): urgent
**sportello**, lo (*m.*): counter, branch
**orario di apertura**, l' (*m.*): opening hours
**canale**, il (*m.*): channel
**abiti**, gli (*m.*) (*sing.* l'abito): clothes
**dentro**: in, inside
**armadio**, l' (*m.*): wardrobe
**televisore**, il (*m.*): television set
**camino**, il (*m.*): fireplace
**divano**, il (*m.*): sofa
**libreria**, la (*f.*): bookcase
**dietro**: behind
**scrivania**, la (*f.*): desk
**sedie**, le (*f.*) (*sing.* la sedia): chairs
**intorno a**: around
**sulla parete**: on the wall
**tavolino**, il (*m.*): coffee table
**tra le poltrone**: between the armchairs
**tappeto**, il (*m.*): rug
**sotto**: under
**lampada**, la (*f.*): lamp
**quadro**, il (*m.*): picture
**sopra**: above
**pianta**, la (*f.*): plant
**scatola**, la (*f.*): box
**specchio**, lo (*m.*): mirror
**cuscini**, i (*m.*) (*sing.* il cuscino): cushions
**infatti**: as a matter of fact
**c'è sciopero generale**: there is a general strike
**sciopero generale**, lo (*m.*): general strike
**veramente**, *avv.*: really
**c'è traffico**: there's traffic
**traffico**, il (*m.*): traffic
**motorino**, il (*m.*): moped
**perciò**: therefore
**grazie mille!**: thank you very much!
**valigie**, le (*f.*) (*sing.* la valigia): suitcases
**nessun problema**: no problem
**appunti**, gli (*m.*): notes
**grazie tante**: thanks a lot
**di niente**: no problem
**parco**, il (*m.*): park
**estate**, l' (*f.*): summer
**settembre**, il (*m.*): September
**non c'è di che**: no problem, you're welcome
**vocabolario**, il (*m.*): vocabulary
**abilità**, l' (*m.*): skills
**gennaio**, il (*m.*): January
**febbraio**, il (*m.*): February
**marzo**, il (*m.*): March
**aprile**, l' (*m.*): April
**maggio**, il (*m.*): May
**giugno**, il (*m.*): June
**luglio**, il (*m.*): July
**agosto**, l' (*m.*): August
**settembre**, il (*m.*): September
**ottobre**, l' (*m.*): October
**novembre**, il (*m.*): November
**dicembre**, il (*m.*): December
**autunno**, l' (*m.*): autumn
**primavera**, la (*f.*): spring
**inverno**, l' (*m.*): winter
**estate**, l' (*f.*): summer
**prezzo**, il (*m.*): price
**scoperta**, la (*f.*): discovery
**America**, l' (*f.*): America
**abitanti**, gli (*m.*) (*sing.* l'abitante): inhabitants
**scooter**, lo (*m.*): moped
**nascita**, la (*f.*): birth
**costo**, il (*m.*): cost
**villa**, la (*f.*): villa
**mittente**, (*m.* e *f.*): sender
**abbreviazione**, l' (*f.*): abbreviation
**laurea**, la (*f.*): degree
**ingegnere**, l' (*m.*): engineer
**destinatario**, il (*m.*): addressee
**riceve**, *inf.* ricevere: he/she receives
**CAP (Codice di Avviamento Postale)**, il (*m.*): postcode
**sigla della provincia**, la (*f.*): initials of the province
**un bacio**: a kiss
**ti abbraccio forte**: lots of hugs
**un abbraccio**: a hug
**tanti baci**: lots of kisses
**bacioni**: big kisses
**cari (carissimi) ragazzi**: dear all
**centrale**, (*m.* e *f.*): central
**condividere**, *inf.*: to share
**adulti**, gli (*m.*) (*sing.* l'adulto): adults
**servizi di messaggeria istantanea**, i (*m.*): instant messaging system
**veloce**, (*m.* e *f.*): fast
**tipiche**, (*f.*) (*sing.* tipica): typical
**italiano digitato**, l' (*m.*): typed Italian
**ti voglio bene**: I love you (*this doesn't necessarily mean romantic love, it can just mean I care for you or I am fond of you*)
**campo**, il (*m.*): field, sector
**generalmente**, *avv.*: generally
**faccina**, la (*f.*): emoticon
**cliccare**, *inf.*: click
**caricare**, *inf.*: upload
**scaricare**, *inf.*: download
**sito internet**, il (*m.*): website
**chattare**, *inf.*: to chat
**bisogna fare lo 0039**: you have to dial 0039
**prefisso**, il (*m.*): prefix
**desiderata**, (*f.*) (*m.* desiderato): required, that you want
**naturalmente**, *avv.*: of course
**chiamare**, *inf.*: to call
**numeri utili**, i (*m.*): useful numbers
**sia... che...**: both... and...
**cittadini**, i (*m.*) (*sing.* il cittadino): citizens
**emergenze**, le (*f.*) (*sing.* l'emergenza): emergencies
**valido**, (*m.*): that works
**carabinieri**, i (*m.*): Carabinieri are police with military and civil duties
**ambulanza**, l' (*f.*): ambulance
**internazionale**, (*m.* e *f.*): international
**sanitaria**, (*f.*) (*m.* sanitario): health

**infanzia**, l' (*f.*): childhood
**antiviolenza donna**, (*f.*): domestic violence helpline for women
**polizia di stato**, la (*f.*): police
**vigili del fuoco**, i (*m.*): fire brigade

## Quaderno degli esercizi
## Unità 3

**fiori**, i (*m.*) (*sing.* il fiore): flowers
**giro**, il (*m.*): walk
**Musei Vaticani**, i (*m.*): Vatican Museums
**Piazza della Repubblica**: Piazza della Repubblica (Republic Square)
**repubblica**, la (*f.*): republic
**provare**, *inf.*: to try
**Colombia**, la (*f.*): Colombia
**Equador**, l' (*m.*): Ecuador
**Brasile**, il (*m.*): Brazil
**solo**, *avv.*: just
**Francia**, la (*f.*): France
**regalo**, il (*m.*): gift
**Italia del Nord**, l' (*f.*): Northern Italy
**Argentina**, l' (*f.*): Argentina
**per fortuna**: fortunately
**giornata**, la (*f.*): day
**parere**, il (*m.*): opinion
**vecchio metodo**, il (*m.*): old method
**tecnologia**, la (*f.*): technology
**adattato**, (*m.*): adapted
**bravo**, (*m.*) (*pl.* bravi): good
**penso di sì**: I think so
**bianchi**, (*m.*) (*sing.* bianco): white
**seminario**, il (*m.*): seminar
**Europa**, l' (*f.*): Europe
**Statale**, (*m.* e *f.*): state
**ponti**, i (*m.*) (*sing.* il ponte): bridges
**monte**, il (*m.*): mount, mountain (Mont Blanc)
**circa**: about
**monumento**, il (*m.*): monument
***hai fatto grandi progressi**: *you have made good progress
***cultura**, la (*f.*): *culture
***architettura**, l' (*f.*): *architecture
***si trova**, *inf.* trovarsi: *it is (location)
***fontana**, la (*f.*): *fountain
***facile**, (*m.* e *f.*): *easy
***questo sì che è difficile**: *now this is difficult
***chiesa**, la (*f.*): *church
***boh**: *I don't know (*usually informal and accompanied by a shrug of the shoulders*)
***castello**, il (*m.*): *castle
***Foro Romano**, il (*m.*): *Roman Forum (*archaeological site in Rome*)
***campanile**, il (*m.*): *bell tower
***non c'è male**: *that's not bad

## Unità 4
## *Buon fine settimana!*

**riordinare**, *inf.*: to tidy
**compagnia**, la (*f.*): with friends
***spettacolo**, lo (*m.*): *show
***ridere**, *inf.*: *to laugh
***commedia**, la (*f.*): *comedy
***cameriere**, il (*m.*): *waiter
***sbagliato**, (*m.*): *wrong
***abbiamo fatto confusione**: *we got confused
***confusione**, la (*f.*): *confusion
***un sacco di gente**: *a lot of people
***diverse**, (*f.*) (*sing.* diversa): *different
***che cosa hai fatto di bello?**: *what fun things did you do?
***peccato!**: *what a shame!
**non c'è male**: not too bad
**male**, *avv.*: badly
**passeggiata**, la (*f.*): stroll
**sono state**, *inf.* stare: went
**pasta**, la (*f.*): pasta
**stamattina**, *avv.*: this morning
**cornetto**, il (*m.*): a croissant
**due giorni fa**: two days ago
**l'altro ieri**: the day before yesterday
**scorsa**, (*f.*) (*m.* scorso): last
**Germania**, la (*f.*): Germany
**mensa**, la (*f.*): canteen
**dentista**, il (*m.*): dentist
**verbi di movimento**, i (*m.*): verbs of movement
**movimento**, il (*m.*): movement
**verbi di stato**, i (*m.*): state verbs
**intransitivi**, (*m.*) (*sing.* intransitivo): intransitive
**nascere**, *inf.*: to be born
**transitivi**, (*m.*) (*sing.* transitivo): transitive
**completa**, (*f.*) (*m.* completo): complete
**aula**, l' (*f.*): classroom, lecture hall
**ho chiacchierato un po'**, *inf.* chiacchierare: I chatted for a little bit
**da solo**: on your own
**all'inizio**: at the start
**per prima cosa**: first
**vincere**, *inf.*: to win
**lista**, la (*f.*): list
**Divina Commedia**, la (*f.*): Divine Comedy (*a long narrative poem by Dante Alighieri*)
**squadra**, la (*f.*): team
**mondiali di calcio**, i (*m.*): football world cup
**ha pubblicato**, *inf.* pubblicare: published
**progetto**, il (*m.*): project
**è diventato**, *inf.* diventare: it has become
**appuntamento fisso**: regular fixture
**fisso**, (*m.*): regular
**sarda**, (*f.*) (*m.* sardo): Sardinian
**ospita**, *inf.* ospitare: it welcomes
**artisti**, gli (*m.*) (*sing.* l'artista): artists
**locali**, (*m.* e *f.*) (*sing.* locale): local
**propone**, *inf.* proporre: it proposes
**musica classica**, la (*f.*): classical music
**ospite**, l' (*m.*): guest
**violinista**, il (*m.*): violinist
**premi**, i (*m.*) (*sing.* il premio): awards
**quartetto**, il (*m.*): quartet
**dura**, *inf.* durare: it lasts \ does it last?
**evento**, l' (*m.*): event
**è morto**, *inf.* morire: he died
**bellezza**, la (*f.*): beauty
**stabilisce**, *inf.* stabilire: he sets
**nuovo record mondiale**, il (*m.*): new world record
**spettatori**, gli (*m.*) (*sing.* lo spettatore): spectators
**inventa**, *inf.* inventare: he invents
**geniale**, (*m.* e *f.*): brilliant
**appena**, *avv.*: just
**mai**, *avv.*: never
**patente**, la (*f.*): driving licence
**verità**, la (*f.*): truth
**liceo**, il (*m.*): high school
**ho fame**: I'm hungry
**fame**, la (*f.*): hunger
**listino**, il (*m.*): price list
**tramezzino**, il (*m.*): sandwich (*made with white sliced bread, often with mayonnaise*)
**fetta**, la (*f.*): slice
**torta al cioccolato**, la (*f.*): chocolate cake
**hai deciso**, *inf.* decidere: have you decided?
**anzi**, *avv.*: actually
**meglio**, *avv.*: better
**dunque**: so
**formaggio**, il (*m.*): cheese
**caffè macchiato**, il (*m.*): coffee with a dash of milk
**acqua minerale naturale**, l' (*f.*): natural (still) mineral water
**crudo**, (*m.*): cured (*as in* prosciutto crudo, *dry cured ham*)
**mozzarella**, la (*f.*): mozzarella (*a kind of cheese*)
**lattina**, la (*f.*): can
**deciso**, (*m.*): decisive
**caffè corretto**, il (*m.*): coffee with a dash of liqueur
**caffè decaffeinato**, il (*m.*): decaffeinated coffee
**caffellatte**, il (*m.*): milky coffee
**tè**, il (*m.*): tea
**tisane**, le (*f.*) (*sing.* la tisana): herbal teas
**cioccolata in tazza**, la (*f.*): cup of hot chocolate
**tazza**, la (*f.*): cup
**panna**, la (*f.*): cream
**tè freddo**, il (*m.*): iced tea

**tè freddo**, il (*m.*): iced tea
**pomodoro**, il (*m.*): tomato
**pizzette**, le (*f.*) (*sing.* la pizzetta): small pizzas
**aperitivi**, gli (*m.*) (*sing.* l'aperitivo): aperitifs
**analcolico**, (*m.*): non-alcoholic
**bibite**, le (*f.*) (*sing.* la bibita): soft drinks
**spremuta d'arancia**, la (*f.*): freshly squeezed orange juice
**succhi di frutta**, i (*m.*) (*sing.* il succo di frutta): fruit juices
**birra alla spina**, la (*f.*): draught beer
**tiramisù**, il (*m.*): tiramisù (*a typical cake made with sponge fingers dipped in coffee, mascarpone cheese, cocoa, the name literally means 'pick me up'*)
**coppetta gelato**, la (*f.*): ice cream cup
**ho sete**: I'm thirsty
**sete**, la (*f.*): thirst
**macchina di seconda mano**, la (*f.*): second hand car
**a causa di...**: because of, due to
**preferito**, (*m.*): favourite
**spiegare**, *inf.*: to explain
**personali** (*m.* e *f.*) (*sing.* personale): personal
**ricerca**, la (*f.*): survey
**a volte**: sometimes
**solite cose**, le (*f.*): usual things
**occasione**, l' (*f.*): chance
**prodotti**, i (*m.*) (*sing.* il prodotto): products
**banco**, il (*m.*): counter
**fanno lo scontrino**: pay first and get your receipt then order
**scontrino**, lo (*m.*): receipt
**cioè**: that is
**cassa**, la (*f.*): cash register, till
**insalata**, l' (*f.*): salad
**pieni**, (*m.*) (*sing.* pieno): full
**vita**, la (*f.*): life
**sole**, il (*m.*): sun
**clienti**, i (*m.*) (*sing.* il cliente): customers
**accoglienti**, (*m.* e *f.*) (*sing.* accogliente): welcoming
**quasi**, *avv.*: almost
**moka**, la (*f.*): moka pot (a pot for making Italian espresso coffee)
**caffettiera**, la (*f.*): coffee maker
**design industriale**: industrial design
**industriale**, (*m.* e *f.*): industrial
**museo di arte contemporanea**, il (*m.*): museum of modern art
**contemporanea**, (*f.*) (*m.* contemporaneo): modern
**invenzione**, l' (*f.*): invention
**macchina per il caffè da bar**, la (*f.*): coffee machine for bars
**velocità**, la (*f.*): speed
**preparazione**, la (*f.*): preparation
**consumazione**, la (*f.*): consumption
**oltre a...**: besides
**tazzina**, la (*f.*): little cup
**sapore**, il (*m.*): taste, flavour
**leggero**, (*m.*): light
**ristretto**, (*m.*): short strong espresso coffee
**forte**, (*m.* e *f.*): strong
**liquore**, il (*m.*): liqueur
**caldo**, (*m.*): hot
**pochissimo**, (*m.*): very little
**bevanda**, la (*f.*): drink
**colore**, il (*m.*): colour
**abiti**, gli (*m.*) (*sing.* l'abito): clothes
**frati cappuccini**, i (*m.*): Capuchin monks
**consiglio**, il (*m.*): advice
**soltanto**, *avv.*: only
**passione**, la (*f.*): passion
**consumo**, il (*m.*): consumption
**quotidiano**, (*m.*): daily
**mattina appena svegli**: in the morning, as soon as they wake up
**metà mattina**: mid morning
**appena si sveglia**: as soon as he/she has woken up
**incertezza**, l' (*f.*): uncertainty

## Quaderno degli esercizi Unità 4

**ieri**, *avv.*: yesterday
**radio**, la (*f.*): radio
**festa**, la (*f.*): party
**torta**, la (*f.*): cake
**tranquillo**, (*m.*): relaxed
**giapponese**, (*m.* e *f.*): Japanese
**lasciare**, *inf.*: to leave
**spendiamo**, *inf.* spendere: we spend
**soldi**, i (*m.*): money
**matematica**, la (*f.*): maths
**aranciata**, l' (*f.*): orange soda, orangeade
**pezzo**, il (*m.*): piece
***dieta**, la (*f.*): *diet
***cappuccio**, il (*f.*): *short form for cappuccino
***non ti preoccupare**: *don't worry
***non importa**, *inf.* importare: *it doesn't matter
***siediti**, *inf.* sedersi: *sit down
***signorina**, la (*f.*): *Miss
***caffè lungo macchiato**, il (*m.*): *a long coffee with a dash of milk
**strada**, la (*f.*): road
**Ungheria**, l' (*f.*): Hungary
**ungherese**, l' (*m.*): Hungarian

## Unità 5 *Tempo di vacanze*

**prendere il sole**: to sunbathe
**sole**, il (*m.*): sun
**passeggiare**, *inf.*: to go for a stroll
**nave**, la (*f.*): ship
**scarpe**, le (*f.*) (*sing.* la scarpa): shoes
**eleganti**, (*m.* e *f.*) (*sing.* elegante): smart
**ombrello**, l' (*m.*): umbrella
**occhiali da sole**, gli (*m.*): sunglasses
**campeggio**, il (*m.*): campsite
**avventura**, l' (*f.*): adventure
**solitudine**, la (*f.*): alone
***documento**, il (*m.*): *document (this can be an Identity card or passport)
***bagagli**, i (*m.*) (*sing.* il bagaglio): *luggage
***bagaglio a mano**, il (*m.*): *hand luggage
***carta d'imbarco**, la (*f.*): *boarding card
***buon viaggio**: *have a good journey
***viaggio**, il (*m.*): *journey
***partenza**, la (*f.*): *departure
***parenti**, i (*m.*): *relatives
***festeggiare**, *inf.*: *to celebrate
***Capodanno**, il (*m.*): *New Year
***Epifania**, l' (*f.*): *Epiphany (*6th January is a public holiday in Italy and it celebrates the arrival of the Three Kings*)
***Natale**, il (*m.*): *Christmas
***genitori**, i (*m.*): *parents
***buone feste**: *happy holidays
***feste**, le (*f.*) (*sing.* la festa): *celebration, national holiday
**cugina**, la (*f.*): cousin
**impiegata**, l' (*f.*): clerk
**Cenone**, il (*m.*): a big dinner to celebrate New Year's Eve
**prenotiamo**, *inf.* prenotare: Shall we book?
**pioverà**, *inf.* piovere: it's going to rain
**biglietteria**, la (*f.*): ticket office
**controllore**, il (*m.*): ticket controller
**viaggiatori**, i (*m.*) (*sing.* il viaggiatore): passengers
**binario**, il (*m.*): platform
**carrozza**, la (*f.*): carriage
***cambio**, il (*m.*): *change
***diretto**, il (*m.*): *direct
***andata**, l' (*f.*): *one-way
***ritorno**, il (*m.*): *return
***centesimi**, i (*m.*) (*sing.* il centesimo): *cents
***proveniente**, (*m.* e *f.*): *from
***diretto**, (*m.*): *going to
***è in arrivo**: *is arriving
***anziché**: *instead of
**regionale veloce**, il (*m.*): fast regional train
**infine**, *avv.*: lastly
**permesso**, il (*m.*): leave (an hour's leave from work)
**prendere le ferie**, take holiday
**ferie**, le (*f.*): holidays
**cucinare**, *inf.*: to cook

**tira vento**: it's windy
**vento**, il (*m.*): wind
**giorno dopo**, il (*m.*): the day after
**cielo**, il (*m.*): sky
**nuvoloso**, (*m.*): cloudy
**rinunciare**, *inf.*: to cancel
***immagino**, *inf.* immaginare: *I guess
***nemmeno**: *even
***nuvola**, la (*f.*): *cloud
***all'improvviso**: *suddenly
***pessimista**, (*m.* e *f.*): *pessimistic
***meteo**, il (*m.*): *weather forecast
**temporale**, il (*m.*): thunderstorm
**neve**, la (*f.*): snow
**nebbia**, la (*f.*): fog
**calmo**, (*m.*): calm
**mosso**, (*m.*): rough
**deboli**, (*m.* e *f.*) (*sing.* debole): light (winds)
**moderati**, (*m.*) (*sing.* moderato): moderate
**in diminuzione**: falling, going down
**stabili**, (*m.* e *f.*) (*sing.* stabile): stable
**in aumento**: increasing, going up
***nuvolosità**, la (*f.*): *cloud cover
***intensa**, (*f.*) (*m.* intenso): *extensive
***penisola**, la (*f.*): *peninsula (referring to Italy)
***mattino**, il (*m.*): *morning
***possibilità**, la (*f.*): *possibility
***graduale**, (*m.* e *f.*): *gradual
***miglioramento**, il (*m.*): *improvement
**nevica**, *inf.* nevicare it's snowing
**coperto**, (*m.*): cloudy
**agitato**, (*m.*): rough
**Babbo Natale**, il (*m.*): Father Christmas
**presepe**, il (*m.*): nativity scene, crib
**gioco**, il (*m.*): game
**bingo**, il (*m.*): bingo
**tombola**, la (*f.*): tombola, raffle
**dolce**, il (*m.*): dessert
**tradizionale**, (*m.* e *f.*): traditional
**panettone**, il (*m.*): panettone (*typical Italian Christmas cake, usually made with dried fruit*)
**addobbiamo**, *inf.* addobbare: we decorate
**avete trascorso**, *inf.* trascorrere: how you spent (time)
**tradizione**, la (*f.*): tradition
**curiosità**, la (*f.*): fun facts
**proverbio**, il (*m.*): proverb
**conoscenti**, i/le (*m.* e *f.*) (*sing.* il/la conoscente): acquaintances
**presepe vivente**, il (*m.*): real life nativity scene
**ricreano**, *inf.* ricreare: they recreate
**interpretano**, *inf.* interpretare: they play the part
**artigiani**, gli (*m.*) (*sing.* l'artigiano): craftsmen
**visitatori**, i (*m.*) (*sing.* il visitatore): visitors
**botteghe**, le (*f.*) (*sing.* la bottega): little shops
**pandoro**, il (*m.*): pandoro (another type of Italian Christmas cake)
**torrone**, il (*m.*): sweet nougat
**natalizi**, (*m.*) (*sing.* natalizio): Christmas
**produzione**, la (*f.*): production
**fatti a mano**: hand-made
**pasticcerie**, le (*f.*) (*sing.* la pasticceria): cake shops, bakeries
**arrivo**, l' (*m.*): arrival
**doni**, i (*m.*) (*sing.* il dono): gifts
**mercatini di Natale**, i (*m.*): Christmas markets
**oggetti di artigianato**, gli (*m.*): handcrafted objects
**detti**, i (*m.*) (*sing.* il detto): sayings
**riassumono**, *inf.* riassumere: they summarise
**popolo**, il (*m.*): population
**insegnano**, *inf.* insegnare: they teach
**produce**, *inf.* produrre: he/she/it produces
**laboratorio**, il (*m.*): workshop
**Palio di Siena**, il (*m.*): The Palio di Siena (*a horse race that is held twice each year on 2nd July and 16th August. 10 bareback riders represent their contrade, or city wards, the race is held in the main square and the riders run three laps*)
**Regata Storica**, la (*f.*): Historic Regatta (historic procession of boats in Venice)
**piatti speciali**, i (*m.*): special dishes
**distanze**, le (*f.*) (*sing.* la distanza): distances
**sia... che...**: both... and...
**rete ferroviaria**, la (*f.*): rail network
**copre**, *inf.* coprire: it covers
**territorio**, il (*m.*): territory
**nazionale**, (*m.* e *f.*): national
**offerti**, (*m.*) (*sing.* offerto): offered
**piuttosto**, *avv.*: rather
**esigenza**, l' (*f.*): need
**rapidi**, (*m.*) (*sing.* rapido): fast
**lussuosi**, (*m.*) (*sing.* lussuoso): upmarket
**cari**, (*m.*) (*sing.* caro): dear, expensive
**oltre**: more than
**prenotazione**, la (*f.*): reservation, booking
**obbligatoria**, (*f.*) (*m.* obbligatorio): compulsory
**all'interno**: within
**si fermano**, *inf.* fermarsi they stop
**principalmente**, *avv.*: mainly
**principali**, (*m.* e *f.*) (*sing.* principale): main
**frequenti**, (*m.* e *f.*) (*sing.* frequente): frequent
**fare la fila**: to queue
**direttamente**, *avv.*: directly
**Patrimonio Mondiale dell'Umanità**, il (*m.*): World Heritage Site
**raggiungere**, *inf.*: to reach
**agile**, (*m.* e *f.*): easy to use
**siti Unesco**, i (*m.*): Unesco sites
**guida**, la (*f.*): guide
**dettagliata**, (*f.*) (*m.* dettagliato): detailed
**Belpaese**, il (*m.*): It is a word used to refer to Italy, it literally means "the beautiful Country"
**ammirare**, *inf.*: to admire
**grazie a...**: thanks to...

## Quaderno degli esercizi Unità 5

**dopodomani**, *avv.*: the day after tomorrow
**tenda**, la (*f.*): tent
**papà**, il (*m.*): dad
**pianista**, il (*m.*): pianist
**bambini**, i (*m.*) (*sing.* il bambino): children
**Inghilterra**, l' (*f.*): England
**cucina tipica**, la (*f.*): typical food/dishes
**pulite**, (*f.*) (*sing.* pulita): clean
**smog**, lo (*m.*): smog
**tecnologiche**, (*f.*) (*sing.* tecnologica): technological
**auto a benzina**, le (*f.*): petrol cars
**auto elettriche**, le (*f.*): electric cars
**stressati**, (*m.*) (*sing.* stressato): stressed
**accendere**, *inf.*: to turn on
**ex**: ex, former
**ristorante vegano**, il (*m.*): vegan restaurant
**specialità**, le (*f.*) (*sing.* la specialità): specialities
**esagerato**, (*m.*): over the top
**marito**, il (*m.*): husband
**sciare**, *inf.*: to ski
**andare a sciare**: go skiing
***scherzi**, *inf.* scherzare: *you're joking
***biglietti aerei**, i (*m.*) (*sing.* il biglietto aereo): *plane tickets
***offerta**, l' (*f.*): *offer
***insomma**, *avv.*: *in other words
***esperienza**, l' (*f.*): *experience
***cattiva**, (*f.*) (*m.* cattivo): *bad
***ci devo pensare**: *I need to think about it

# index

| Unit section | Vocabulary and communicative topics | Grammatical structures |
|---|---|---|

## Unità 2
*Tempo libero*



| Unit section | Vocabulary and communicative topics | Grammatical structures |
|---|---|---|
| A Cosa fai nel tempo libero? | • Free time and weekend activities | • Present indicative: irregular verbs |
| B Vieni con noi? | • Extend invitations<br>• Accept or decline an invitation | |
| C Scusi, posso entrare? | | • Present indicative of modal verbs: *potere, volere, dovere* |
| D Dove abiti? | • Ask for and state one's address<br>• Describe one's home<br>• Cardinal numbers (30-2.000)<br>• Ordinal numbers | |
| E È in centro? | | • Prepositions |
| F Quando sei libera? | • The days of the week<br>• Ask for and state the date | |
| G Che ora è?/ Che ore sono? | • Ask for and state the time | |

**Conosciamo l'Italia:**
***I mezzi di trasporto urbano.*** Getting around the city
***Il tempo libero degli italiani.*** What Italians do in their free time

**Video episode:**
Che bella casa!
**Video activity** 

## Unità 3
*In contatto*



| Unit section | Vocabulary and communicative topics | Grammatical structures |
|---|---|---|
| A Puoi andare al bar Eden. | • Modes of communication | • Articulated prepositions<br>• The partitive |
| B A che ora? | • Ask for and provide information about the opening hours of offices, stores, etc.<br>• Express uncertainty, doubt | |
| C Dov'è? | • Locate objects in space | • Adverbs of place<br>• *C'è - Ci sono* |
| D Di chi è? | • Express possession | • Possessives (*mio/a, tuo/a, suo/a*) |
| E Grazie! | • Thank others and respond to expressions of gratitude | |
| F Vocabolario e abilità | • Months and seasons<br>• Cardinal numbers (1.000-1.000.000)<br>• Discuss prices | |

**Conosciamo l'Italia:**
***Scrivere un'e-mail o una lettera (informale/amichevole).*** Standard salutations and greetings for informal letters and emails. Useful expressions for writing
***Il linguaggio dei messaggi... e dell'informatica.*** Abbreviations for electronic communications in Italian and common technological terms
***Telefonare in Italia.*** Italian area codes and useful phone numbers

**Video episode:**
Un video da inviare
**Video activity** 

| Unit section | Vocabulary and communicative topics | Grammatical structures |
|---|---|---|

## Unità 4
*Buon fine settimana!* Pg.57

| Unit section | Vocabulary and communicative topics | Grammatical structures |
|---|---|---|
| A Come hai passato il fine settimana? | • Talk about what we do during the weekend | • The past participle: regular verbs<br>• Present perfect (*passato prossimo*) |
| B Ma che cosa è successo? | • Recount past events | • Auxiliary verbs: *essere* or *avere*?<br>• The adverb *ci*<br>• The past participle: irregular verbs |
| C Un fine settimana al museo | • Situate an event in the past<br>• Expressions of time<br>• Ask for and state the date | • Adverbs of time with the *passato prossimo* |
| D Per me, un panino. | • Order in a coffee shop<br>• Express preferences<br>• Coffee shop menus | • Modal verbs with the *passato prossimo* |
| E Abilità | • Expansion activities based on unit topics focused on specific skills (listening, speaking, writing) | |

**Conosciamo l'Italia:**
***Come hai passato il fine settimana?*** What Italians do during the weekend
***Il bar italiano. "Un caffè!"*** Italian coffee shops; a short history of espresso and different types of coffee
***Il caffè, che passione!*** Statistics on the daily consumption of espresso in Italy

**Video episode:**
Una pausa al bar
**Video activity** Pg.90

## Unità 5
*Tempo di vacanze* Pg.73

| Unit section | Vocabulary and communicative topics | Grammatical structures |
|---|---|---|
| A A Capodanno cosa farete? | • Holidays: Christmas and New Year's<br>• Make plan, predictions, hypotheses, and promises<br>• Hypothetical phrases (1st type) | • The simple future: regular and irregular verbs<br>• Functions of the simple future |
| B Viaggiare in treno | • Useful expressions for train travel | |
| C In montagna | | • Future perfect<br>• Functions of the future perfect |
| D Che tempo farà domani? | • Talk about weather<br>• Organize an outing | |
| E Vocabolario e abilità | • Holidays and travel | |

**Conosciamo l'Italia:**
***Natale: fra tradizione e curiosità***
***Alcune feste in Italia***
***I treni in Italia.*** Types of trains and services offered

**Video episode:**
Facciamo l'albero di Natale?
**Video activity** Pg.91

# audio CD index

[71']

**Unità introduttiva**

| | |
|---|---|
| **01** | A3 |
| **02** | A5a |
| **03** | A5b |
| **04** | C1, 2 |
| **05** | C6a |
| **06** | C6b |
| **07** | D1, 2 |
| **08** | D6a |
| **09** | D6b |
| **10** | E1, 2 |
| **11** | E7a |
| **12** | E7b |

**Unità 1**

| | |
|---|---|
| **13** | Per cominciare 3, A1 |
| **14** | C1, 2 |
| **15** | D2 |
| **16** | F1 |

**Unità 2**

| | |
|---|---|
| **17** | Per cominciare 3, A1 |
| **18** | B1 |
| **19** | D1 |
| **20** | F1 |
| **21** | G1 |

**Unità 3**

| | |
|---|---|
| **22** | Per cominciare 3, A1 |
| **23** | B1, 2 |
| **24** | E1 |
| **25** | Quaderno degli esercizi |

**Unità 4**

| | |
|---|---|
| **26** | Per cominciare 3, 4, A1 |
| **27** | D1 |
| **28** | Quaderno degli esercizi |

**Unità 5**

| | |
|---|---|
| **29** | Per cominciare 3, 4, A1 |
| **30** | B2b |
| **31** | D1 |
| **32** | D2 |
| **33** | Quaderno degli esercizi |

**Unità 6**

| | |
|---|---|
| **34** | Per cominciare 2, 3, A1 |
| **35** | C1, 2, 4 |

**Unità 7**

| | |
|---|---|
| **36** | Per cominciare 3, 4, A1 |
| **37** | C1, 2 |
| **38** | D1 |
| **39** | Quaderno degli esercizi |

**Unità 8**

| | |
|---|---|
| **40** | Per cominciare 3, 4, A1 |
| **41** | B1 |
| **42** | E1, 2 |
| **43** | Quaderno degli esercizi |

**Unità 9**

| | |
|---|---|
| **44** | Per cominciare 2, 3 |
| **45** | B1, 2 |
| **46** | D1 |
| **47** | Quaderno degli esercizi |

**Unità 10**

| | |
|---|---|
| **48** | Per cominciare 2, 3 |
| **49** | B1 |
| **50** | C1, 2 |
| **51** | E1 |
| **52** | F1, 2 |
| **53** | Quaderno degli esercizi |

**Unità 11**

| | |
|---|---|
| **54** | Per cominciare 4, A1 |
| **55** | B1 |
| **56** | C1 |
| **57** | Quaderno degli esercizi |

On the online learning platform, i-d-e-e.it, you can listen to the audio files (original and slow versions).

**Pag.5**: ©T. Marin (*in alto*), laforchettasullatlante.it (*2*), gazzettadelgusto.it (*4*), lofficielitalia.com (*5*), broadwayworld.com (*6*); **Pag.12**: cotralspa.it (*biglietto*), romehints.com (*piazza navona*); **Pag.15**: ©T. Marin (*in alto, un nuovo amore*), ©Edilingua (*un nuovo lavoro*); **Pag.18**: unibg.it (*sinistra*); **Pag.26**: arteleonardodavinci.jimdo. com; **Pag.30**: booksreader. us (*in basso a sinistra*); **Pag.33**: ©T. Marin (*in basso a destra*); **Pag.34**: lascuolariguardatutti.blogspot.com (*in basso al centro*), comingsoon.it (*Dobbiamo parlare*); **Pag.40**: thewanderingquinn.com (*5*); **Pag. 41**: caserta.italiani.it (*f*); **Pag.47**: valoreazioni.com (*in basso a destra*); **Pag.48**: images.happycow.net (*a*), geprom.it (*b*), beweb.chiesacattolica.it (*c*), valsassinanews.com (*d*); **Pag. 49**: pinterest.com (*a, c, d, f, h*), maski-kayak. ca (*b*), ohanaimmobiliare.it (*e*), lokerdibandung.com (*g*), rumahrara.com (*i*); **Pag.57**: pinterest.com (*Botticelli*), iltaccodibacco.it (*pizza fest*), cadoro. org (*music a museo*), eventiesagre.it (*festa della pasta*), pescaranews.net (*D. Silvestri*); **Pag.59**: bergamopost.it; **Pag.65**: culturaitalia.it (*La grande bellezza*), change.org (*V. Modena*), accademiadeisensi.it (*La traviata*), amazing.zone (*G. Marconi*), saltinaria.it (*L'amica geniale*), iichaifa.esteri.it (*1946*); **Pag.67**: cibiamo.it (*a sinistra*); **Pag.68**: theculturetrip.com; **Pag.69**: ©T. Marin; **Pag.70**: ilcorriere.net (*brera caffè*), caffenegro.it (*espresso*), 4live. it (*barista*); **Pag.72**: ©T. Marin; **Pag.73**: ©T. Marin; **Pag.75**: villacariola.it; **Pag.76**: flickr.com; **Pag.78**: lucacecchi.net (*a*), ©T. Marin (*b-d*); **Pag.79**: ©T. Marin; **Pag.80**: 3.bp.blogspot.com (*al centro*), gist.it (*a destra*); **Pag.84**: youtube.com (*prima a sinistra*); **Pag.102**: www.macitynet.it (*donna allo specchio*); **Pag.110**: ibs.it (*libro*), ©Telis Marin (*bar pizzeria*); **Pag.111**: www.hawtcelebs.com (*Malika Ayane*); **Pag.112**: www.mondomostreskira.it (*Leonardo*); **Pag.115**: ©Telis Marin (*orologi 2 e 3*); **Pag.120**: ©Telis Marin (*Amalfi*); **Pag.122**: pinimg.com (*negozio borse*), joydellavita.com (*parco Ciani*), guardiaguide.files.wordpress.com (*posta*), laprovinciacr. it (*banca*), blogspot.com (*biblioteca*), associazioneoter.com (*Museo di Arlecchino*); **Pag.123**: imdb.com (*Euforia*); **Pag.124**: www.onstageweb.com (*Ligabue*), ©Telis Marin (*gatto*); **Pag.125**: blogspot.com (*In centro*); **Pag.129** https://universityequipe.com (*San Marco*); **Pag.130**: ©Telis Marin (*tram*); **Pag.132**: ©Telis Marin (*gondola*); **Pag.134**: https://static.wixstatic.com (*bar*); **Pag.135**: www. lincmagazine.it (*Biblioteca*); **Pag.137**: www.radionuova.com; **Pag.141**: © Telis Marin (*Roma*); **Pag.142**: pinterest.com (*casa piccola*), ©Telis Marin (*Milano*); **Pag.145**: ©Telis Marin (*seconda e terza foto, Siena*)

## nuovissimo PROGETTO italiano 1

## GIOCO DI SOCIETÀ

By entertaining and motivating students, the objective of the game is to:

- use and solidify the linguistic content of the book
- transform the experience of the game into substantial learning and create a collaborative, inclusive and shared context
- make students more independent and allow them to be the protagonists

GIOCANDO S'IMPARA!

- ✓ 4 (+2) game formats to review and solidify what was learned in class
- ✓ 300 cards to use in class and motivate students while having fun

## Interactive Book

- ✓ Student's Book
- ✓ Audio
- ✓ Video

nuovissimo PROGETTO italiano 1

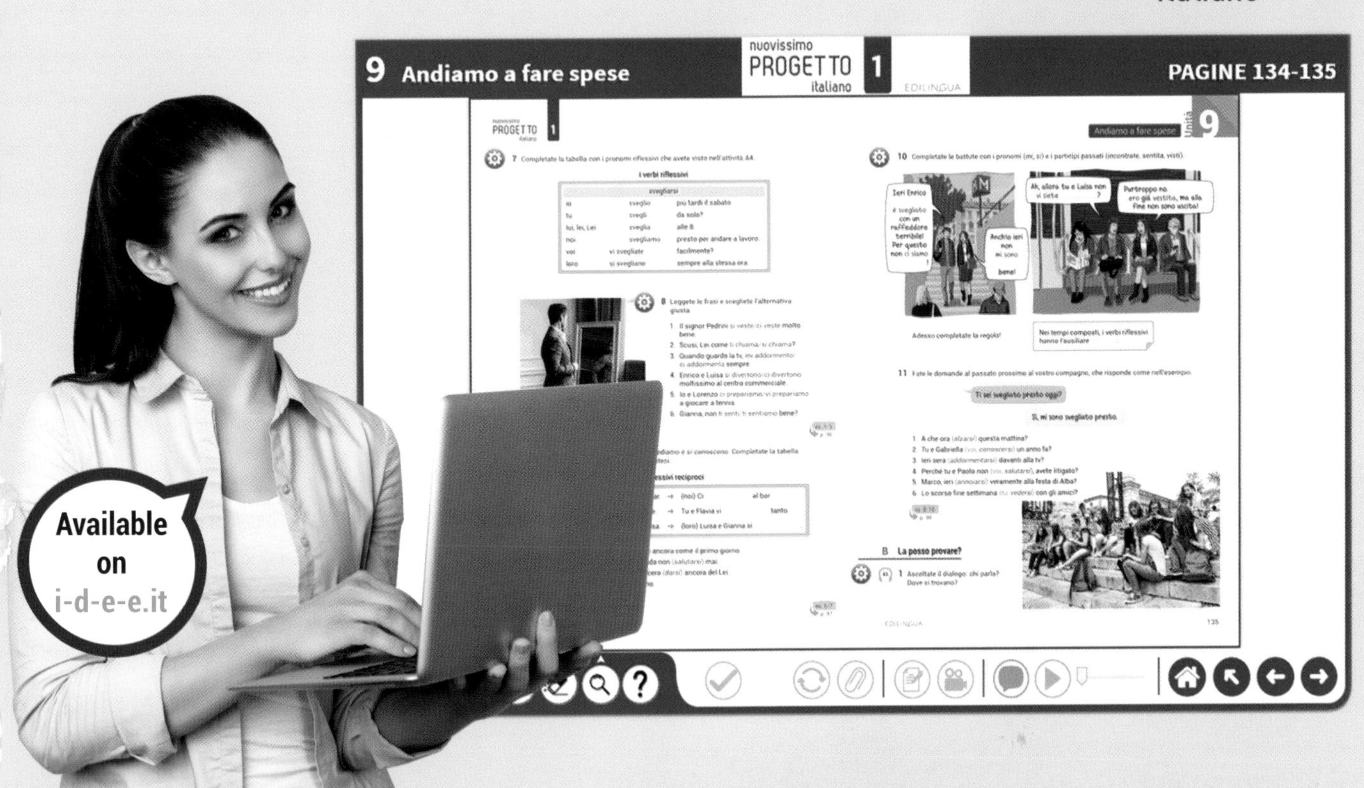

## The new Italian Project 1a can be supplemented with:

**_Mistero in Via dei Tulipani_** (A1-A2)

The Primiracconti series of simplified readings for non-native speakers

An engaging story, with some plot twists, that takes place in an apartment building. Everything starts with the murder of Mr. Cassi, the third-floor resident. Two sixteen-year-olds, Giacomo and Simona, decide to try to track down the assassin. The clues not only lead them to identify the culprit, but also to find love in the process.

**_Nuovo Vocabolario Visuale_** (A1-A2)

Dictionary + workbook + audio CD

- 40 thematic units
- More than 1000 commonly used words
- Listening exercises that motivate and actively involve the student
- Written and oral vocabulary activities
- Summative quizzes
- Alphabetical Index
- Appendix with answer keys
- In-class and self-directed

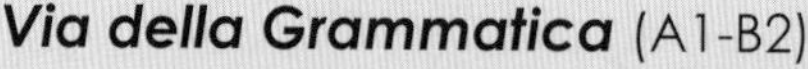

**_Via della Grammatica_** (A1-B2)

Theory, exercises, texts, authentic material for non-native speakers

- 40 units with the main grammatical structures of Italian
- 8 review and self-tests
- Simple and effective explanations of grammar rules
- A wide range of activities
- Useful activities to prepare for language certification exams
- Online activities available in an interactive format on the i-d-e-e.it learning platform
- Authentic texts for developing socio-cultural competence
- Fully in color
- Appendix with answer keys